술어術語를 통해서 본 중국 전통법률의 제도와 사상

中國傳統法治文化術語

술어術語를 통해서 본 중국 전통법률의 제도와 사상
中國傳統法治文化術語

지은이 崔蘊華 · 李馳
옮긴이 홍은
펴낸이 오정혜
펴낸곳 예문서원

편집 유미희
인쇄 및 제본 주) 상지사 P&B

초판 1쇄 2023년 11월 30일

출판등록 1993년 1월 7일(제2023-000015호)
주소 서울시 동대문구 왕산로 239, 101동 935호(청량리동)
전화 925-5914 | 팩스 929-2285
전자우편 yemoonsw@empas.com

ISBN 978-89-7646-485-9 03150
YEMOONSEOWON 101-935, 239 Wangsan-ro, Dongdaemun-Gu, Seoul, KOREA 02489
Tel) 02-925-5914 Fax) 02-929-2285

값 10,000원

술어術語를 통해서 본 중국 전통법률의 제도와 사상

崔蘊華 · 李馳 지음
홍은 옮김

예문서원

저자 서문

중국의 유구한 역사 속에서 중국의 법률문화는 찬란한 사상과 제도 및 문화를 발생시켰다. 이러한 중국에서 발생된 지혜는 중국인이 세계 여러 민족 속에서 두드러질 수 있게 한 성과로, 중국인이 끊임없이 전진하는 동력이 되었다. 전통사회의 통치문화에서 중국 법률문화의 정수精髓를 찾을 수 있다. 소위 '전통법'은 현대의 법 이론에서 역사상 이미 멈춘, 시대를 따라 이미 '과거'가 된 고대의 법을 가리키는 표현으로 쓰였다.[1] 그렇지만 현대 법학 이론은 고대의 법률사상과 제도 및 문화를 참고하여 해석한 내용이 많다. 이렇듯 중국 전통의 법률문화는 발전 과정에서 여타 다른 문화에 필적하는 성과를 축적했고, 이러한 성과 중에는 현대의 법치 이론과 통하는 부분이 있어서 현대사회에도 활력소가 되었다.

중국은 전통 법률문화의 계승과 연구를 중시해 왔다. 2021년 4월 중공중앙판공청中共中央辦公廳과 국무원판공청國務院辦公廳이 발표한 「사회주의 법률문화 건설을 강화하는 의견에 관하여」(關于加强社會主義法治文化建

1) 馬小紅, 『禮與法: 法的歷史連接』(北京大學出版社, 2004年版), p.66.

設的意見)에서 전통 법문화의 주요 의미에 대해 다시금 강조하며 다음과 같이 말하였다.

> 중국의 우수한 전통 법률문화의 창조적인 전환과 혁신적인 발전을 촉진한다. 중국의 법체계 내 우수한 사상과 이념을 계승하고, 중국 고대 법률의 제도와 성패, 득실을 연구하여 '백성이 국가의 근본이다'(民爲邦本), '예와 법을 함께 활용하다'(禮法竝用), '화합을 귀하게 여기다'(以和爲貴), '덕을 밝히고 벌을 신중하게 하다'(名德愼罰), '법의 집행을 산처럼 엄격하게 하다'(執法如山) 등의 중국 전통 법률문화의 정수를 찾아내고, 이것을 시대정신에 따라 변화시키고 연구의 목적을 강화하며, 대중에게 이를 전파하고 계승, 활용하도록 하여 중국의 우수한 전통 법률문화가 현대사회에 새 생명력을 발산하도록 해야 한다.

2022년 2월 시진핑(習近平) 총서기는 학술지 『구시求是』에 실은 「중국 특색을 지닌 사회주의 법치의 길을 유지하면 중국 특색을 지닌 사회주의 법체계를 만들 수 있다」(堅持走中國特色社會主義法治道路更好推進中國特色社會主義法治體系建設)라는 제목의 글에서 "중국의 법치 체계의 건설과 법치 실행의 경험을 취합하여 중국의 우수한 전통 법률문화를 드러내며, 중국 법치의 사례를 잘 설명하여 중국 법치 체계와 법치 이론의 국제적 영향력과 발언권을 높여야 한다"라고 강조했다.

위와 같은 생각에 따라 우리들은 『중국전통법치문화술어中國傳統法治文化術語』를 집필했으며, 이 책의 항목을 크게 '사상이념'과 '법률제도' 및 '법률문화'의 세 부분으로 나누었다. 중국 전통사회의 법률문화를 하나의 건축물이라고 가정하면, '사상이념'은 건물의 기초에 해당되고, '법률제도'는 철골 구조에 해당되며, '법률문화'는 외관의 장식에 해당되는데, 이 세 개 중 하나라도 빠져서는 안 된다. 우리는 이 세 부분을 통해 독자들이 중국 전통 법률문화 속에 있는 '화하華夏'가 머릿속에 그려질 수 있기를 희망한다.

그리고 술어術語[2]에 대한 최신의 연구 성과를 통해 술어를 선택하는 출처의 폭을 넓혔다. 전문적인 용어나 단어 외에도 '왕족이 법을 어기면 서민과 동등하게 죄를 준다'(王子犯法, 與庶民同罪)와 같은 오랫동안 전승되어 온 속담도 포함시켰는데, 이 또한 중요한 자료이다.[3]

'사상이념' 부분은 38개의 술어로 구성되어 있는데, 중국 전통 법률문화의 기본 모습을 묘사하는 내용이다. 전체적으로 살펴보면, 법률을 통해 '소리 없이 만물을 적시듯이'(潤物細無聲) 덕과 예로 교화하고자 했다. '덕을 밝히고 처벌을 신중하게 하다'(明德愼罰), '화합을 귀하게 여기다'(和爲貴), '덕이 중심이고 형벌은 돕는 것이다'(德主刑輔) 등의 익숙한 술어들은 중국 고대 유가儒家의 정통 법사상의 정수를 보여 준다. 이 밖에도 중국 전통 법률문화의 다양성을 보여 주기 위해 기타 학파의 대표적인 개념도 포함했는데, 예를 들어 법가法家의 '법은 귀한 자에게 아부하지 않는다'(法不阿貴)나 도가道家의 '법령이 많아지면 도적이 많아진다'(法令滋

2) 일반적으로 한국에서 술어는 敍述語를 의미하는 述語(영어로는 predicate)를 가리킨다. 그러나 본 책에서 말하는 술어는 학술이나 기술 분야에서 전문가들이 쓰는 특수한 용어를 의미한다.

3) 鄭述譜, 「從更宏闊的視角認識術語外譯」, 『中華思想文化術語學術論文集』 第一輯, 2018年版, pp.274~282.

彰, 盜賤多有) 등을 들 수 있다. 이러한 술어는 중국 전통 법률문화의 다양한 모습을 보여 준다.

'법률제도'는 34개의 술어로 구성되어 있는데, 이 속에는 '노인을 불쌍히 여기고, 어린 사람을 불쌍히 여기다'(矜老恤幼)와 '어버이의 옆에 머물며 돌보다'(存留養親), '다섯 등급의 상복제도를 통해 처벌 수위를 결정하다'(准五服以制罪) 등 전통사회의 법을 통한 통치와 인정仁政을 베푸는 사상을 고려한 술어들이 포함되어 있다. 아울러 '바꿔서 추천하다'(換推)와 '국문과 옥사를 분리하여 처리하다'(鞫讞分司) 등 현대적 법치의 의미를 포함한 술어도 있으며, 이러한 술어들을 통해 중국 고대 법률제도의 상황을 살펴보고자 한다. 법률제도와 관련된 술어를 통해 중국 고대 법률제도의 활용 상황과 기본 특징을 살펴보고, 제도의 발생과 관련된 역사문화적 연원도 살펴보고자 한다.

'법률문화'는 35개의 술어로 구성되어 있는데, 이를 통해 세밀하게 중국 전통사회 법률문화의 모습을 살펴보고자 한다. 법률문화는 중국인의 생활 속 여러 방면에 영향을 미쳤는데, 이것은 기물과 문서, 속담과 같은 형태로 나타났다. '사정에 불쌍한 부분이 있다'(情有可矜)나 '관리가 청렴하면 법을 공정하게 할 수 있다'(官淸法正), 혹은 '그물의 한 면을 열어 준다'(網開一面) 등의 법률문화 술어들은 높은 법률적 가치를 가지고 있으며, 이 술어들은 일상생활 중에 널리 혹은 깊게 영향을 주었다. 이러한 술어들은 연구자들의 시야를 넓혀 주고, 과거와 현대의 법치 이념과 문화관념 사이에 교량 역할을 해 준다.

중국 전통사회의 법률문화를 연구하는 것은 고대 법정신을 새롭게 하는 시스템 공학으로, 중국 법치사상의 원류를 찾고, 이와 관련된 술어들을 분석함으로써 중국 전통사회의 법률문화가 가진 독특한 매력을 찾고자 하는 것이다. 그리고 이러한 술어들은 중국문화의 이론에 대한 이해를 학습할 수 있게 해 주며, 현대 중국에 법률문화를 만들고, 법치와 관련된 단어를 구성하며, 법치와 관련된 내용을 잘 전달하는 데 이론적 소재가 될 수 있다.[4]

편집자

2022년 9월

4) 李德順, 「中華文明與中國話語」, 『中國政法大學學報』 2022年 第2期, pp.5~11.

역자 서문

이 책은 중국 정법대학政法大學의 최온화崔蘊華 교수와 이치李馳 교수가 함께 저술하고, 같은 대학의 전력남田力男 교수와 왕민王敏 교수가 영어로 번역한 『중국전통법치문화술어(한영대조)』(中國傳統法治文化術語[漢英對照], 北京: 外語教學與硏究出版社, 2022)를 옮긴 것이다. 두 저자는 고대 중국의 법과 관련된 술어術語 가운데 중요하고 비중이 있는 107개를 선별한 뒤 이를 사상이념과 법률제도 및 법률문화의 셋으로 분류하여 구성했다.

현 중국의 헌법은 기본적으로 사회주의사상에 입각하여 제정되었지만, 근대 이전 시기 중국 전통의 법도 참조했다. 이 때문에 중국의 헌법은 다른 사회주의 국가들의 헌법과 비교하면 사회주의의 법을 따르면서도 그 속에 중국 고유의 특색이 나타난다. 저자들은 이러한 중국 고유의 특색을 드러내고자 원문과 출전에 대한 해설 부분에서 중국 전통 법사상과 현대 중국 법과의 연관성을 언급하고 있다. 즉 본 책의 저술 목적이 단순히 고대 시기 중국 법률을 설명하는 데 그치지 않고, 현대 중국 헌법의 기초 속에 중국 고대의 법률사상과 문화가 포함되어 있음을 밝히는 데 있다고 볼 수 있다.

근대 이전 시기 중국의 법은 주로 유가儒家와 법가法家 사상 및 중국 고대의 관습법의 영향을 크게 받았고, 부분적으로 도가道家와 묵가墨家 사상 등의 영향도 받았다. 전국시대戰國時代를 통일한 진秦나라가 채택한 법가와 고대 중국문화의 근간을 마련한 한漢나라가 채택한 유가는 후대 중국 통치제도에 가장 큰 영향을 미쳤다. 특히 한나라 때부터 법가와 유가를 융합한 제도 등이 본격적으로 출현하기 시작했고, 이후 법가사상과 유가사상이 혼합된 법률 용어들이 차츰 많아졌다.

원저는 표제 술어에 이어 표제어에 대한 역사적·종합적 해석, 원전 한문 출전과 이에 대한 중문 해석, 그리고 중문 해석에 대한 영문 번역의 순으로 구성되어 있다. 본 역자는 이 가운데 앞의 네 부분만 번역하였고, 마지막 영문 번역은 참고만 했다. 그리고 한문 출전 부분은 중문 해석이 불분명하거나 틀렸다고 판단되었을 경우 역자의 견해를 중심으로 번역했다. 왕조나 인물의 연대 표기를 추가하였으며, 이해를 돕기 위해 추가적인 설명이 필요한 경우 각주 형식으로 달았다.

한국어 번역본의 출간을 승인해 준 外語教學與研究出版社와 이를 공들여 책으로 만들어 주신 예문서원 사장님과 편집자님께 감사의 인사를 전한다.

2023년 12월

옮긴이 홍은

편집 방법

이 책의 원저는 시진핑(習近平)의 법치사상과 중국 특유의 사회주의식 법치사상에 따라 중국 전통사회의 법률문화 영역 가운데 주요 술어를 선별하여 해석하고 분석한 연구 성과이다.

1. 주요 내용

원저는 크게 「사상이념」과 「법률제도」 및 「법률문화」의 세 부분으로 항목을 나누었다. 첫 번째 부분에서는 고대 중국의 법치를 형성하고 발전시키는 과정 중에 발생한 상징적인 관점, 이념, 이론 등의 정신이나 문화와 관련된 술어를 분석했다. 두 번째 부분에서는 같은 과정 중에 발생한 전형적인 시스템과 체제 및 체계 등 제도나 문화와 관련된 술어를 분석했다. 세 번째 부분에서는 같은 과정에 영향을 주었던 물품과 관련된 술어를 분석하였는데, 이 술어에는 이 과정과 관련된 상징물과 부호, 기물과 시설물 등을 포함했다.

2. 술어 선택 원칙

원저의 술어는 중국 전통 법률문화와 관련된 용어 혹은 구문 중에서 선택했고, 모두 107개의 술어로 구성했다. 이 술어들은 다음과 같은 세 가지 주요 기준에 따라 골랐다. 첫 번째 기준은 전형성이다. 이에 따라 광범위하게 활용되거나 판별하기 쉬운 술어를 택했다. 두 번째 기준은 역사성이다.

이에 따라 오랜 기간 활용되거나 많이 활용된 술어를 택했다. 세 번째 기준은 전문성이다. 이에 따라 일정 이상 현대 법학의 정신을 반영하는 술어를 택했다.

3. 편집 기준

술어에 대한 주요 편집 기준은 다섯 가지로 다음과 같다. 첫 번째 기준은 간결한 표현이다. 전문성을 전제로 하되 술어의 뜻을 직접적이고 간결하게 표현한다. 두 번째 기준은 명확한 함의이다. 뜻이 명확하고, 이중 해석의 여지가 없어 심각한 이론 논쟁이 없는 술어를 골랐다. 세 번째 기준은 사회주의적 가치이다. 선별된 술어들은 내용상 사회주의의 핵심 가치와 부합해야 한다. 네 번째 기준은 시대성이다. 선별한 술어들은 중국의 2035년 법치국가와 법치정부 및 법치사회를 건설하려는 목표에 부합해야 한다. 다섯 번째 기준은 전파성이다. 일반 사람들이 쉽게 수용할 수 있도록 편집 내용과 형식을 바꾸어 편집한다.

4. 편집 형식

원저서는 주요 술어를 큰 항목에 따라 분류했으며, 그 내용은 술어 명칭, 이론 구성(개념, 기원, 발전, 가치, 의의 등), 예문, 영문 번역 순으로 구성했다. 원저의 술어는 간결하고 내용이 풍부하며, 이전 비슷한 종류의 서적보다 법률문화 술어가 대중화될 수 있도록 구성했다. 원저는 현대 중국어와 영어 번역을 대조하는 방식인데, 이를 통해 시대성과 간결성 및 흥미성을 유발하여 외국 독자들도 관심을 갖게 하고자 했다.

제1편

사상이념

思想理念

안인녕국安人寧國

백성들을 편안하게 하고 국가를 평안하게 하다

해설: 백성들을 편안하게 하고 국가를 평안하게 하다. 당唐나라는 초기에 '안인녕국'을 통해 국가를 다스렸다. 이때 통치집단은 수나라의 빠른 멸망을 반면교사로 삼았다. 그래서 이 시기 제정된 정책들은 백성의 평안을 목표로 삼아 유학儒學을 중심에 두되, 도가道家의 간정簡淨과 무위無爲의 장점을 취했다. 이를 통해 예禮와 법法을 결합하고 덕德을 밝혀, 처벌을 신중하게 하고 법을 관대하게 집행하고자 했다.

【출전】

◎ 夫安人寧國, 惟在于君. 君無爲則人樂, 君多欲則人苦.[1)]

무릇 백성들을 편안하게 하고 국가를 평안하게 하는 것은 오직 군주에게 달려 있다. 군주가 무위를 행하면 백성들이 안락해지고, 군주가 욕심이 부리면 백성들을 고통스러워진다.

해설: 백성들과 국가의 평안함은 국가의 지도자에게 달려 있다. 군주가 무위의 정치를 함에도 충분히 국가를 다스려질 수 있다면 백성들이 편안해진다. 반면에 군주가 욕심을 부리면 백성들이 고통스러워진다.

---

1) 吳兢(670~749), 『貞觀政要』, 「務農」.

춘추결옥春秋決獄

『춘추』를 활용해 판결하다

해설: '춘추결옥'은 중국 고대의 주요 재판 방식 중 하나이다. 이 방법을 통해 정치와 사법의 문제를 『춘추』 등 유가 경전의 미언대의微言大義[2]를 참고하여 처리했다. 본래 춘추결옥은 동중서董仲舒의 저술 중 하나의 서명書名이었는데, 후대의 사람들은 이 단어를 인경결옥引經決獄[3]의 상황을 포괄包括하는 개념으로 활용하였다. 춘추결옥은 서한 무제武帝(재위기간: 기원전 141~기원전 87) 시기에 재판에 적용되기 시작하여 위진남북조魏晉南北朝시기까지 이어졌다가 수·당隋唐시기에 폐지되었다. 이는 유가사상을 법전화法典化하는 과정이다.

【출전】

◎ 故『春秋』之治獄, 論心定罪, 志善而違于法者免, 志惡而合于法者誅.[4]

『춘추』를 근거로 옥사를 처리하는 것은 죄수의 마음을 중심으로 처벌을 결정하는 것이기 때문에, 죄수의 의도가 선하면 법을

---

2) 역사적 사건이나 인물에 대해 형식적이고 간결한 문장을 통해 엄격하게 평가하는 필법으로, 주로 『춘추』에서 많이 쓰였던 필법이었다.

3) 경전의 내용을 인용하여 판결한다는 뜻이다.

4) 桓寬(?~?), 『鹽鐵論』, 「刑德」.

어겨도 면죄시켜 주고, 의도가 악하면 법에 합당해도 처벌한다.

해설: 법관들은 『춘추』를 참고하여 재판 안건案件을 처리하였는데 이를 통해 이들은 범죄의 동기를 근거로 판결하고자 했다. 선한 동기를 가진 사람은 비록 국가의 형법에 저촉되더라도 면죄시킬 수 있고, 악한 동기를 가진 사람은 설사 법을 어기지 않았다고 해도 처벌한다.

덕본형용德本刑用

덕德은 근본이고 형刑은 수단이다

해설: 정치와 교화의 원칙은 덕과 예이고, 그 수단은 형벌이다. 이 '덕본형용'은 당나라 시기 입법立法의 기본 원칙이며, 이를 통해 이 시기 군주는 민본사상民本思想을 실현하고자 했다. 덕본형용은 고대 법률이 유교화되는 대표적인 개념 중 하나이다.

【출전】

◎ 德禮爲政教之本, 刑罰爲政教之用, 猶昏曉陽秋相須而成者也.[5]

덕德과 예禮는 정교政敎의 근본이고, 형刑과 벌罰은 정교의 수단이니, 이는 밤과 낮, 봄과 가을이 서로 번갈아 가며 오는 것과 같다.

해설: 덕과 예는 정치와 교화의 근본이고, 형과 벌은 정치와 교화의 수단이다. 이는 밤과 낮, 봄과 가을이 서로 기다렸다가 오는 것과 같다.

---

5) 長孫無忌(594~659)·李勣(?~669) 등, 『唐律疏議』, 「名例律」.

덕주형보德主刑輔

덕은 중심이고 형벌은 보조이다

해설: 국가를 통치할 때 도덕과 교화를 중심에 두고, 형벌은 통치의 보조 수단으로 삼는다. 이 술어의 기원은 춘추전국시대로 거슬러 올라간다. 공자孔子(기원전 551~기원전 479)가 주공周公(?~?)의 명덕신벌明德愼罰[6] 사상을 발전시켜 교화를 중시하고 처벌을 가볍게 하는 주장을 했다. 이 영향으로 맹자(기원전 372~기원전 289)는 인정仁政의 중요성을 강조했다. 동중서는 이러한 선현先賢의 사상을 근거로 양덕음형陽德陰刑 사상[7]과 결합하여 유가儒家의 덕과 형의 관계를 정형화하고자 했다. 현대 학자인 양홍렬楊鴻烈은 『중국법률사상사中國法律思想史』에서 이 사상을 '덕주형보'라고 지칭했다. 덕주형보는 중국 고대사회의 유가사상에 대한 현대 중국인들의 관념에 영향을 주었고, 중국의 특색이 나타나는 법률학 개념 중 하나이다.

【출전】

◎ 刑者, 德之輔.[8]

형은 덕을 보조한다.

해설: 형벌은 도덕을 보조한다.

---

6) 덕을 밝히고 처벌에 신중하다.
7) 덕을 우선이고, 형벌은 그 다음이다.
8) 董仲舒, 『春秋繁露』, 「天辨在人」.

벌당기죄罰當其罪

처벌은 그 죄에 합당해야 한다

해설: 처벌의 수위가 범죄의 수준에 상응해야 한다. 당 태종은 처벌의 수위와 범죄의 수준이 부합되어야 한다고 강조했다. 이를 통해 범죄자들이 범죄에 대한 경각심을 갖게 했다. '벌당기죄'는 현대 형법 속의 죄질과 처벌 수위는 상응해야 한다는 생각과 부합된다.

【출전】

◎ 賞當其勞, 無功者自退, 罰當其罪, 爲惡者戒懼.[9]

상은 그 수고로움에 합당하게 해 공이 없는 자는 스스로 물러나게 하고, 벌은 그 죄에 합당하게 해 악을 저지른 자가 경계하고 두려워하게 해야 한다.

해설: 공적에 맞게 포상하고, 공적이 없는 사람은 스스로 물러나게 한다. 그리고 죄에 합당하게 처벌하고, 악행을 한 사람이 경계하고 두려워하게 해야 한다.

---

9) 吳兢,『貞觀政要』,「擇官」.

법필명法必明, 령필행令必行

법法은 분명해야 하고, 령令은 반드시 실행해야 한다

해설: 법률은 반드시 공정하고 엄정하게 시행하고, 반포된 법령은 반드시 효력 있게 실행한다. 춘추전국시대 법가法家는 법치를 주장했고, 옹주雍州지역에 치우쳐 있던 진秦나라는 법치를 시행하였다. 상앙商鞅(기원전 395~기원전 338)이 '법은 명확하게 하고 령令은 반드시 실시해야 한다'고 강조하였는데, 이러한 법치를 통해 진나라는 빠르게 강국의 반열에 오르게 되었다. 마침내 진시황(재위기간: 기원전 247~기원전 210)이 6국을 단시간에 통일했다.

【출전】

◎ 法必明, 令必行, 則已矣.[10)]

법은 반드시 분명해야 하고, 령은 반드시 실행해야만 한다.

해설: 법률은 반드시 공정하고 엄정하게 시행하고, 반포된 법령은 반드시 효력 있게 실행한다.

---

10) 商鞅으로 추정. 『商君書』, 「畫策」.

법불아귀法不阿貴

법은 귀한 자에게 아부하지 않았다

해설: 법률은 모든 사람에게 평등하여 절대로 사사로운 정에 얽매여 권세 있는 자의 편을 들지 않는다. 중국 고대사회에서 법가는 국가를 다스릴 때 신분의 귀천과 친소 관계를 구분하지 않고 법률과 규정에 따라 상벌이 결정되어야 한다고 주장했다. 그 주된 취지는 공정하게 법을 집행하고 법 앞에서 개개인이 평등함을 강조하는 것이다. 이 주장은 이후에도 이어졌고, 법치사상의 중요한 기반 중 하나이다.

【출전】

◎ 法不阿貴, 繩不撓曲. 法之所加, 智者弗能辭, 勇者弗敢爭. 刑過不避大臣, 賞善不遺匹夫.[11]

법이 귀한 자에게 아부하지 않는 것은 먹줄이 굽지 않은 것과 같다. 일단 법이 적용되면 지혜로운 자라 할지라도 어떤 말도 할 수 없고, 용기가 있는 자라 할지라도 감히 다툴 수 없다. 잘못에 대한 처벌은 대신大臣일지라도 피하지 않고, 선한 행동에 대해 상을 주는 것은 필부일지라도 빠뜨리지 않는다.

---

11) 韓非(?~?), 『韓非子』, 「有度」.

해설: 법률이 권세 있고 귀한 자의 편을 들지 않는 것은 먹줄이 굽지 않은 것과 같다. 일단 법률로 제재하면 지혜로운 자라 할지라도 피할 수 없고, 용기 있는 자라 할지라도 감히 다툴 수 없다. 죄과에 대해 징벌하는 것은 대신일지라도 피해 가지 않고, 선행에 대해 상 주는 것은 백성일지라도 빠뜨리지 않는다.

법귀간당法貴簡當

법은 간결함과 합당함을 귀하게 여긴다

해설: 법률에서 간결함과 합당함을 귀하게 여겼다. 이는 명나라 시기 입법의 기본 원칙 중 하나로, 태조 주원장朱元璋(재위기간: 1368~1398)이 제시하였다. '법귀간당'에서 법령의 간결함을 강조했는데, 이는 곧 법령을 적은 글의 표현이 간결하고, 사리가 분명하며, 백성들이 보고 이해할 수 있어야 한다. 아울러 법귀간당에서 법령의 합당함도 강조했는데, 이는 실무에서 중도中道를 지향하고 편중되지 않게 해 관리들이 법을 집행하는 과정에서 법률조항을 임의적으로 판단하여 백성들에게 피해 입히는 행위를 막고자 했다.

【출전】

◎ 法貴簡當, 使人易曉. 若條緖繁多, 或一事兩端, 可輕可重, 吏得因緣爲奸, 非法意也. 夫網密則水無大魚, 法密則國無全民. 卿等悉心參究, 日具刑名條目以上, 吾視酌議焉.[12)]

법은 간결함과 합당함을 귀하게 여겨 사람들이 쉽게 이해하도록 해야 한다. 만약 법의 조목이 번다繁多하거나 혹은 같은 사건임에도 다르게 판결하여 가볍게 처리할 수도 있고 무겁게도

12) 張廷玉(1672~1755) 등, 『明史』, 「刑法志 一」.

처리할 수 있으면 옥리가 인연에 따라 나쁘게 판단할 수 있으니, 이는 법의 본래 뜻이 아니다. 무릇 그물이 촘촘하면 물에 큰 물고기가 사라지게 되고 법망이 촘촘하면 국가에 모든 백성이 사라지게 된다. 이에 경卿 등은 세밀하게 법을 연구해서 매일 형벌의 종류와 조목을 준비하여 이를 상주하면 나는 이를 보고 참작하여 결정하겠노라.

해설: 법률은 간결함과 합당함을 귀하게 여기니, 사람들이 쉽게 이를 이해하게 해야 한다. 만약 법률의 조목이 번다하거나 같은 죄를 두고 다르게 판단하여 가볍게 처리할 수도 있고 무겁게도 처리할 수 있으면 사법관司法官들이 이를 기회로 일을 꾸며 폐단을 만드니 이는 법률의 뜻과 부합하지 않는다. 그물이 지나치게 촘촘하면 물에 큰 물고기가 사라지듯이 법망이 지나치게 촘촘하면 대신들과 백성들이 모두 처벌받을 수밖에 없다. 이에 여러분이 세밀하게 비교연구를 하여 매일 형벌의 종류와 조목을 상주하면 나는 친히 참작하여 선택하겠노라.

법령자창法令滋彰, 도적다유盜賊多有

법령이 점점 엄격해지면 도적들이 늘어난다

해설: 법령이 조밀稠密해지면 도적이 늘어난다. 이는 법가의 법치사상에 대한 도가道家의 대표적인 관점이다. 도가는 무위이치無爲而治[13]를 주장하며 법가의 법치를 반대하였다. 노자老子는 국가를 다스리는 방법이 군주가 마음을 맑게 하느냐 과욕을 부리느냐에 달려 있다고 생각했다. 그리고 그는 군주가 자연에 순응한 채 옷자락을 늘어뜨리고 팔짱을 끼고 있어도 국가가 다스려진다고 보았다. 그는 법을 제정해 사회질서를 세우려는 법가의 주장을 실은 본말本末이 전도顚倒된 생각이라고 보아 이러한 생각은 나무에서 물고기를 찾는 것과 같다고 여겼다. 따라서 법령이 엄격해지면 도적들이 늘어난다는 인위법人爲法과 하늘의 그물은 넓어도 성기는 듯 새지 않는다는 자연법自然法은 분명하게 대조된다.

【출전】

◎ 天下多忌諱, 而民彌貧. 民多利器, 國家滋昏. 人多伎巧, 奇物滋起. 法令滋彰, 盜賊多有.[14]

---

13) 無爲之治와 같은 말로 통치자가 인위적이고 적극적으로 다스리지 않아도 저절로 다스려진다는 의미이다.

14) 『老子』, 57章.

세상에 금령이 많아지면 백성들은 더욱 빈곤해진다. 백성들에게 예리한 무기가 많아지면 국가는 점점 혼란해진다. 사람들이 기교技巧가 많아지면 기괴한 물건들이 점점 생산된다. 법령이 점점 엄격해지면 도적들이 늘어난다.

해설: 세상에 금령이 많아지면 백성들은 점점 빈곤에 빠져든다. 백성들에게 예리한 무기가 많아지면 국가는 혼란에 빠져든다. 사람들에게 기교가 많아지면 악습과 까닭 없는 일이 발생하여 시끄러워진다. 법령이 점점 엄격해지면 도적이 끊임없이 늘어난다.

법심무선치法深無善治

법이 가혹하면 선치善治가 사라진다

해설: 법률이 복잡하면 국가를 잘 통치할 수 없는 상태가 된다. '법심무선치'는 남송南宋(1127~1279)의 진량陳亮(1143~1194)이 주장한 법률의 엄밀성과 선치의 성과의 관계를 포괄한 것이다. 만일 법이 복잡하고 형벌이 무거우면 백성들은 평안하지 못하고 국가는 태평하지 못하다. 입법과 법의 집행은 반드시 관대해야 국가가 번영하고 안정된다.

【출전】

◎ 操權急者無重臣, 持法深者無善治.[15]

권력을 장악하는 것에 조급한 자는 중신重臣이 없고, 법을 엄격하게 집행하는 자는 선치가 없다.

해설: 권력을 행사할 때 가혹하게 하는 사람은 든든한 신하가 없고, 법률이 점점 복잡하고 엄격해지면 국가는 점점 정치를 잘할 수 없다.

---

15) 陳亮, 『陳亮集』 補遺.

법여시전즉치法與時轉則治

법이 시대의 변화에 맞춰 바뀌면 잘 통치할 수 있다

해설: 법률이 시대의 변화에 따라 개정되어야 국가가 번영하고 안정될 수 있다. 한비자韓非子는 시대가 변화하는 것에 따라 통치 방법도 달라야 한다고 생각했다. 따라서 법률이 시대의 변화에 맞춰 바뀌면 국가가 효과적으로 통치할 수 있다.

【출전】

◎ 法與時轉則治, 治與世宜則有功.[16)]

법이 시대의 변화에 맞춰 바뀌면 잘 통치할 수 있고, 통치는 세상의 상황과 잘 맞으면 공적을 이룰 수 있다.

해설: 법률이 시대의 변화에 맞춰 개정되어야 국가의 통치를 잘할 수 있다. 정책의 실시가 사회 상황과 서로 맞아야 좋은 결과를 낼 수 있다.

---

16) 韓非, 『韓非子』, 「心度」.

봉법자강즉국강奉法者强則國强

법을 집행하는 사람이 강하면 국가가 강해진다

해설: 만일 통치자가 법에 따라 일을 처리하면 국가는 강해진다. 한비자의 이 말은 통치자가 그 자신을 경계할 줄 알아 공평하게 법을 집행하는 것을 의미한다. 현대사회에서 법을 제정하는 사람과 적용하는 사람 및 집행하는 사람은 법치주의적 사고와 방식으로 문제를 해결해야 한다.

【출전】

◎ 國無常强, 無常弱. 奉法者强則國强, 奉法者弱則國弱.[17]

국가는 항상 강하지도 않고, 항상 약하지도 않다. 법을 집행하는 사람이 강하면 국가가 강해지고, 법을 집행하는 사람이 약하면 국가가 약해진다.

해설: 국가는 영원히 부강하지도 않고 오랜 기간 빈곤하지도 않다. 법을 집행하는 군주가 단호하면 국가가 부강해지고, 법을 집행하는 군주가 유약柔弱하면 국가가 약해진다.

---

17) 韓非, 『韓非子』, 「有度」.

화위귀和爲貴

화합을 귀하게 여긴다

해설: 화합을 귀하게 여긴다. 화和는 화합과 합당함을 뜻하며, 이는 사물의 차이와 다양성을 기반으로 화합을 이루고 이러한 화합을 통한 공존이다. 본래 예의 목표는 서로 다른 계급의 사람들 간에 차이를 존중하여 서로 화합하며 공존하는 것으로, 각각 그 원하는 바를 얻되 그 지위가 서로 안정되어 상승효과를 얻고자 하는 것이다. 이를 통해 사회 전체가 화이부동和而不同[18]을 실현하고, 유가儒家도 이를 인간관계의 주요 논리와 원칙으로 삼았다. 이후 이는 일반적으로 사람 간, 단체 간, 국가 간의 화합과 화목, 화평과 융합이 되는 관계 양상을 가리키는 술어가 되었다. 이를 통해 중국 민족은 폭력과 갈등을 지양하고 화평과 화합을 숭상하는 문文의 정신을 실현하고자 했다. 그리고 이는 중국인의 법률에 관한 생각에 큰 영향을 주었다.

【출전】

◎ 有子曰: 禮之用, 和爲貴. 先王之道, 斯爲美, 小大由之. 有所不行, 知和而和, 不以禮節之, 亦不可行也.[19]

---

18) 화합은 하되 서로의 차이를 인정한다는 뜻이다.

유자有子가 말했다. 예를 실행할 때는 화합을 귀하게 여긴다. 선왕의 도는 이를 아름답게 여겼으니 크고 작은 일이 이로부터 비롯되었다. 행하면 안 되는 바가 있으니, 화합만을 알고 화합하고 예禮로 이를 절제하지 않으면 또한 행하지 않아야 한다.

해설: 유자(기원전 518~기원전 458?)가 말했다. 예를 실행할 때는 화합을 귀하게 여긴다. 중국 고대 군주의 통치 방법에서 이를 귀하게 여기니, 대소사를 모두 화합의 원칙에 따라 행했다. 또한 행하지 말아야 할 것이 있으니 만일 억지로 형식적인 화합만 하고 예를 갖추지 않은 채 통제하려 든다면 행하지 않아야 한다.

---

19) 『論語』, 「學而」.

경국서민經國序民, 정기제도正其制度

국가를 다스리고 백성을 질서 있게 했으며 그 제도를 바르게 했다

해석: 국가를 통치하면서 사람들을 평안하게 하며 질서 있게 통치하기 위해 각종 제도를 정비해야 했다. 이 술어의 원래 의미는 성왕이 재위할 때 국가를 다스리고 백성을 질서정연하게 했으며, 관련된 제도를 공정하고 엄정하게 실시했다는 뜻이다. 이후 사마광司馬光(1019~1086)이 『자치통감資治通鑑』에서 이 구절을 인용하여 국가를 통치할 때 엄격하고 공정하게 제도를 적용해야 한다고 설명했다. 그리고 현대 국가에서 완벽한 제도는 국가를 평안케 하는 근본이 된다.

【출전】

◎ 是以聖王在上, 經國序民, 正其制度.[20]

성왕聖王이 윗자리에 있으면서 국가를 다스리고 백성을 질서 있게 했으며 그 제도를 바르게 했다.

해설: 성왕이 재위할 때 국가를 다스리고 백성을 질서정연하게 했으며, 관련된 제도를 공정하고 엄정하게 실시했다.

---

20) 荀悅(148~209), 『漢紀』, 「前漢孝武皇帝紀 一」.

예불하서인禮不下庶人, 형불상대부刑不上大夫

예는 서인까지 내려가지 않고 형은 대부까지 올라오지 않는다

해설: 예는 서인에게 보급되지 않고, 형벌로는 귀족을 처벌하지 못한다. 이는 한漢나라 시기의 서적에서 서주西周 시기(기원전 1046~기원전 771) 법률제도의 특징을 요약하고 풀이한 것이다. 사실 서주 시기 예의 적용 대상은 신분의 제약制約이 없었으므로 귀족도 예외 없이 처벌했다. 예는 서인까지 내려가지 않고 형벌은 대부까지 올라오지 않는다는 것은 후대 사람이 서주 시기의 예를 잘못 해석한 것이다.

【출전】

◎ 禮不下庶人, 刑不上大夫. 刑人不在君側.[21]

예는 서인庶人까지 내려가지 않고 형은 대부까지 올라가지 않는다. 형벌을 받은 사람은 군주의 측근에 두지 않는다.

해설: 예법으로 아래의 서인을 통제하지 않고, 형벌로 위의 대부를 통제하지 않는다. 형벌을 받은 사람은 등용하지 않는다.

---

21) 『禮記』, 「曲禮上」.

예법합일禮法合一

예와 법이 합일合一되다

해설: 예와 법을 합쳐 하나로 만들다. 예와 법은 본래 서로 모순된 개념이 아니므로, 서로 개념이 보완되어 완성되는 과정에서 이 두 개념은 함께 사용되었다. '예법합일'은 보통 한나라 시기 이후 중국 법률의 전체적인 특징을 표현하는 말이 되었다. 그 근원을 살펴보면, 삼대三代[22] 시기에는 예를 법으로 간주했으므로 예와 법을 구분하지 않았다. 춘추전국春秋戰國 시대부터 진秦나라 시기까지 법은 예로부터 분리되어 독립된 개념이 되었고, 유가와 법가가 사상적으로 대립하며 예와 법의 개념이 구분되었다. 한나라 시기 이후 유가와 법가의 사상이 융합됨에 따라 예가 법에 포함되어 다시 하나의 개념이 되었다. 그래서 예법합일은 중국 전통사회 내 법률 문화의 독특한 특징이 되었다.

【출전】

◎ 治之經, 禮與刑, 君子以修百姓寧.[23]

---

22) 중국 상고시대의 夏, 商(殷), 周 왕조를 가리킨다.
23) 『荀子』, 「成相」.

통치의 중심은 예와 형이니, 군자는 이를 닦아 백성을 평안케 한다.

해설: 예의와 형벌은 국가를 다스리는 두 가지 큰 원칙으로, 군자는 이로써 자기의 몸을 수양하고 국가를 다스려야 백성들을 평안케 할 수 있다.

예악불흥禮樂不興, 즉형벌부중則刑罰不中

예악禮樂이 흥성하지 않으면 형벌이 알맞지 않게 된다

해설: 예악제도가 시행되지 않으면 형벌이 알맞지 않게 된다. 춘추시대 후반에 공자는 백성들이 안심하고 살 수 없는 난세에 시행된 중형重刑에 대해 근심했다. 그래서 그는 세상 사람들을 예악으로 교화하지 않는다면 그 죄에 합당한 처벌을 하지 못한다고 경고했다. 아울러 그는 죄와 처벌이 상응하지 않을 경우에 사람들이 선악의 판단 기준을 잃게 되어 대응 방법을 모르게 된다고 경고했다. '예악불흥 즉형벌부중'은 고대 유가에서 예법을 중시하면서도 형벌을 함께 활용하려는 대표적인 관점이다.

【출전】

◎ 名不正, 則言不順. 言不順, 則事不成. 事不成, 則禮樂不興. 禮樂不興, 則刑罰不中. 刑罰不中, 則民無所錯手足.[24]

명칭이 바르지 않으면, 말이 따르지 않는다. 말이 따르지 않으면 일이 성사되지 않는다. 일이 성사되지 않으면 예악이 흥성하지 않는다. 예악이 흥성하지 않으면 형벌이 알맞지 않게 된다. 형벌이 알맞지 않으면 백성들은 손발을 둘 곳이 없게 된다.

---

24) 『論語』, 「子路」.

해설: 명칭이 바로잡히지 않으면 말이 적절하지 않다. 말이 적절하지 않으면 일이 성사되지 않는다. 일이 성사되지 않으면 예악이 시행되지 않는다. 예악이 시행되지 않으면 형벌이 알맞지 않게 된다. 형벌이 알맞지 않으면 백성들은 어찌할 바를 모른다.

민유방본民惟邦本

백성은 국가의 근본이다

해설: 백성은 국가의 근본이다. '민유방본'은 고대 민본사상의 근본 개념으로, 후에 유가가 이 개념을 이어받아 발전시켰다. 이러한 대표적인 예로 맹자의 민귀군경民貴君輕[25] 사상을 들 수 있다.

【출전】

◎ 皇祖有訓, 民可近, 不可下. 民惟邦本, 本固邦寧.[26]

선황이 훈계하길, 백성을 가깝게 대하고 멀리해서는 안 된다. 백성이 국가의 근본이니 근본이 굳건해야 국가가 평안해진다고 말했다.

해설: 위대한 선황이 훈계하길, 백성을 가까이해야지 멀리해서는 안 된다. 백성은 국가의 근본이므로 근본이 견고해야 국가가 평안해진다고 말했다.

---

25) 백성이 귀하고 군주는 이보다 덜 귀하다는 뜻으로, 백성이 근본이라는 점을 강조한 것이다.

26) 『尙書』, 「五子之歌」.

명덕신벌明德愼罰

덕을 밝히고 처벌에 신중하다

해설: 덕교德敎를 중시하고 형벌을 신중히 집행한다. 주나라 천자는 상나라가 형벌을 남용하다가 국가를 멸망시킨 점을 교훈 삼아 예교禮敎를 중심에 두고 처벌을 신중히 하는 통치사상을 실행했다. 이것이 '명덕신벌'이다. 이 사상에 따라 서주 시기 형벌은 이전의 하夏나라와 상나라 양대보다 관대하였는데, 이러한 예 중에 7세 이하 아이와 80세 이상 노인을 고문하지 않는다는 규정이 있다. 이 사상은 주나라 초기에 사회를 안정시키고, 제도를 완비하며, 사람들의 마음을 안정시키는 긍정적인 작용을 했다. 춘추전국시대에 유가는 명덕신벌 정신을 계승하여, 덕치德治사상 중 하나인 위정이덕爲政以德으로 발전시켰다. 또한 이 사상은 전한前漢(기원전 202~기원후 8)의 정통 법률사상 중 하나인 덕주형보로 계승되었다.

【출전】

◎ 惟乃丕顯考文王, 克明德愼罰, 不敢侮鰥寡, 庸庸, 祇祇, 威威, 顯民, 用肇造我區夏, 越我一二邦以修我西土.[27]

27) 『尙書』, 「康誥」.

너의 크고도 우뚝하신 선고先考 문왕文王은 덕을 매우 밝히고 형벌에 신중했으며, 홀아비와 과부를 감히 업신여기지 않았고, 임무를 맡길 만한 사람에게 임무를 맡기고, 공경할 만한 사람을 공경하며, 위엄을 보여야 할 사람에게 위엄을 보여 백성에게 (덕을) 드러냈다. 우리 하夏 구역에 처음으로 (국가를) 만드니, 우리의 한두 국가를 넘어 서쪽 땅까지 다스렸다.

해설: 오직 너의 영명英明한 아버지-문왕은 덕교德敎를 중시하고, 형벌을 신중히 집행했다. 그리고 그는 의지할 데가 없는 사람들을 업신여기거나 모욕하지 않고, 임무를 맡을 만한 사람에게 일을 맡기고, 공경할 만한 사람들을 공경하며, 처결할 사람을 처결하여, 일반 사람들이 이러한 치국治國의 도를 이해하게 했다. 이런 방법으로 우리의 작은 주나라를 만들었고, 이렇게 동맹한 우리 한둘의 벗들과 함께 우리의 서쪽지방을 잘 다스렸다.

명형필교明刑弼教

형벌을 분명히 하여 가르침을 돕는다

해설: 형벌은 교화 활동을 보조하는 국가 통치의 한 방법이다. 송나라 시기 이전까지 '명형필교' 사상은 거의 중시되지 않았다. 남송南宋 시기(1127~1279)에 주희朱熹(1130~1200)를 대표로 하는 유학자들이 명형필교 사상을 다시 주장하고 이를 설명하며, 형벌의 중요성을 강조했다. 이는 후대 통치자들에게 형벌을 중시하는 정당성을 부여했다. 명나라를 개국한 주원장은 명형필교를 근거로 중형주의重刑主義[28] 정책을 시행했다.

【출전】

◎ 明于五刑, 以弼五教, 期于予治.[29]

오형五刑[30]을 밝힘으로써 오교五教를 돕게 하니 나의 통치에 기약하고자 한다.

해설: 오형을 잘 알게 하여 오상五常[31]의 가르침을 보조토록 해서 나의 통치에 부합되게 한다.

---

28) 경범죄도 중벌로 다스리는 정책이다.
29) 『尙書』, 「大禹謨」.
30) 笞刑, 杖刑, 徒刑, 流刑, 死刑을 가리킨다.
31) 仁, 義, 禮, 智, 信을 가리킨다.

친친상은親親相隱

친족 간에 서로 숨겨 주다

해설: 법률에서는 일정 범위 내의 친족 간에 범죄를 숨겨 주거나 감싸 주는 행위에 대해 책임을 묻지 않는다. '친친상은'의 기원은 춘추 전국시대까지 거슬러 올라간다. 이러한 사고는 한나라 때 정식으로 법률의 원칙이 되었고, 이후 역대 왕조에서도 이를 따랐다. 2012년에 『중화인민공화국형사소송법中華人民共和國刑事訴訟法』을 개정改正한 후 범죄자의 부모와 배우자, 자녀는 강제로 법정에 출석하여 증언할 의무가 없다고 명시하였다. 학계에서 이를 친친상은의 사상을 구현한 것으로 보고 있다.

【출전】

◎ 父爲子隱, 子爲父隱. 直在其中矣.[32]

아버지는 아들의 잘못을 숨겨 주고, 아들은 아버지의 잘못을 숨겨 준다. 곧음이 이 가운데에 있다.

해설: 아버지는 아들을 위해 진상을 숨기고, 아들은 아버지를 위해 진상을 숨기니 이 행동 안에 곧음의 이치가 내포되어 있다.

---

32) 『論語』, 「子路」.

인의지법仁義之法

인과 의를 실행하는 법칙

해설: 이는 인과 의를 실행하는 법칙과 기준을 가리키며, 인의지도仁義之道로도 명명된다. 동중서는 인仁과 애愛의 실행은 타인을 사랑하되 자신만 사랑하지 않는 데에 달려 있고, 도와 의의 실행은 우선 자신에게 엄격해지되 타인에게 엄격하지 않는 데에 달려 있다고 보았다. 그래서 동중서는 통치자가 자신에게 엄격하되 다른 사람에게는 너그러운 태도로 대해야 한다고 주장했다. 이러한 동중서의 '인의지법'은 유가의 인의사상仁義思想으로 발전했다.

【출전】

◎ 仁之法在愛人, 不在愛我. 義之法在正我, 不在正人.[33]

인을 실행하는 법칙은 다른 사람을 사랑하는 데 있지 나를 사랑하는 데 있지 않다. 의를 실행하는 법칙은 나를 바르게 하는 데 있지 다른 사람을 바르게 하는 데 있지 않다.

해설: 인을 실행하는 법칙은 다른 사람을 사랑하는 데 있지 자신을 사랑하는 데 있지 않다. 그리고 의를 실행하는 법칙은 자신을 바로잡는 데 있지 다른 사람을 바로잡는 데 있지 않다.

---

33) 董仲舒, 『春秋繁露』, 「仁義法」.

임덕불임형任德不任刑

덕을 임무로 삼지 형벌을 임무로 삼지 않는다

해설: 덕정德政을 중시하고 형벌을 중시하지 않는다. 동중서는 한나라 초기에 진나라가 행한 형치刑治의 폐단을 비판하고 유가의 덕치사상을 강조하며, 법률적으로 '임덕불임형'을 주장했다. 그는 군주가 덕정을 펼쳐야 하고 교화를 통치의 주요 수단으로 삼아야 하며, 오로지 형벌을 중시하는 통치 방식을 지양해야 한다고 생각했다. 유가사상에 따라 한나라 시기 정치에서는 끊임없이 이러한 임덕불임형 사상을 강화하고 도덕과 정치의 융합을 추구했다.

【출전】

◎ 天道之大者在陰陽. 陽爲德, 陰爲刑. 刑主殺而德主生. 是故陽常居大夏, 而以生育養長爲事. 陰常居大冬, 而職于空虛不用之處. 以此見天之任德不任刑也.[34]

천도天道의 큰 법칙은 음양陰陽에 달려 있다. 양陽은 덕이고 음陰은 형이다. 형은 죽이는 일을 주관하고 덕은 살리는 일을 주관한다. 그러므로 양은 항상 한여름에 위치해 낳고 기르고 성장시키는 일을 맡는다. 음은 항상 한겨울에 위치해 낳고 기르고 성장시키지 않는 일을 맡는다. 이로 보건대 하늘은 덕을 임무로 삼아야지

34) 班固(32~92), 『漢書』, 「董仲舒傳」.

형벌을 임무로 삼지 않는다.

해설: 하늘의 운행과 변화 법칙은 음양에 달려 있다. 양은 덕치이고, 음은 형벌이다. 형벌은 죽이는 일을 주관하고, 덕치는 살리는 일을 주관한다. 그래서 양은 늘 한여름에 머물러 낳고 기르고 키우는 큰일을 맡는다. 음은 늘 한겨울에 머물러 공허한 부분을 채우고 쓰이지 않는 일을 맡는다. 이를 통해 보건대 하늘은 덕치를 중시하지, 형벌을 중시하지 않는다.

삼유삼사三宥三赦

죄를 용서하는 세 가지 경우와 세 가지 조건

해설: '삼유삼사'는 『주례周禮』 「추관秋官 · 사자司刺」의 규정을 근거로 죄질에 따라 형량을 정하는 정책을 가리킨다. 삼유三宥는 고대에 불식不識, 과실過失, 유망遺亡 등 세 가지 범죄 상황에 대해 용서해 주는 제도이다. 불식은 법률을 모르고 범죄를 저지르는 일이다. 과실은 대의大義를 모르고 범죄를 저지르는 일이다. 유망은 법률 규정을 모르고 범죄를 저지르는 일이다. 삼사三赦는 고대에 유약幼弱, 노모老耄, 준우蠢愚 이 세 부류의 사람들을 사면赦免해 주는 제도이다. 삼사의 유약은 7세 미만의 아이를 가리킨다. 노모는 80세 이상의 노인을 가리킨다. 준우는 정신건강이 안 좋은 사람을 가리킨다. 삼유삼사는 서주 시기의 형법 원칙으로, 이를 통해 통치자는 처벌에 신중해지고자 했다.

【출전】

◎ 司刺掌三刺, 三宥, 三赦之法, 以贊司寇聽獄訟.35)

사자司刺는 사자와 삼유 및 삼사를 관장하고, 사구司寇를 도와 소송을 처리했다.

---

35) 『周禮』, 「秋官 · 司刺」.

해설: 사형司刑[36]은 세 차례 이루어지는 심문과 죄를 용서하는 세 가지 경우 및 죄를 용서하는 세 가지 조건과 관련된 법을 관장하고, 대리시大理寺의 사구가 맡은 형사상의 소송 일을 보조했다.

36) 司刑은 司刺의 오기이다.

신형慎刑

형벌을 신중히 한다

해설: 고대 법률사상 중 하나이다. '신형'은 덕을 중시하여 처벌을 가볍게 함을 가리키며, 이를 통해 형법을 엄격하게 시행하는 것을 반대했다. 이는 서주에서 유래되어 당나라 때 이르러 발전되었고, 이후 중국에서 주류의 법률사상이 되었다. 유가와 법가의 사상이 심화함에 따라 신형은 고대 법률의 집행에 전반적으로 영향을 주었고, 이러한 생각이 담긴 여러 비슷한 법률과 제도들이 제정되었다. 이와 관련된 대표적인 사상과 제도로 '덕주형보'와 '명덕신벌', '삼유삼사'와 '죄의유경罪疑惟輕'[37] 및 '오복주五覆奏'[38]가 있다.

【출전】

◎ 往者有司多舉奏赦前事, 累增罪過, 誅陷亡辜, 殆非重信慎刑, 洒心自新之意也.[39]

지난날 유사有司가 이전의 여러 사건이 죄과를 가중하고 모함에 빠뜨린 일이라 사면을 주청했다. (이것은 판결하는 관리가)

37) 의심스러운 죄는 가볍게 처벌한다.

38) 5차례 다시 주청한다는 뜻으로, 신중한 처벌을 위해 사형 사건은 황제에게 5번 상주함을 가리킨다.

39) 班固, 『漢書』, 「平帝紀」.

신뢰를 중시하지 않고 형벌에 신중하지 않으며 마음을 닦아 스스로 새롭게 하지 못할까를 두려워한 뜻이다.

해설: 지난날 유사가 이전 사건들이 죄가 가중되어 죄가 없는 사람이 모함에 빠져 문책을 당했다며 사면을 주청했다. (이는 관리들이) 형법을 적용할 때 신중하지 않았고 마음을 닦아 스스로 새롭게 하지 못할까를 걱정해서이다.

천리天理, 국법國法, 인정人情

하늘의 이치, 국가의 법, 사람의 감정

해설: 천리天理는 세상만물이 따르는 자연법칙이고, 국법國法은 통치자가 제정한 국가의 법률이며, 인정人情은 인민들의 도덕감정이다. 중국인이 생각하는 이상적인 법률은 천리와 국법과 인정이 하나로 합쳐진 법률이다. 이렇듯 천리와 국법과 인정은 현대 중국 법치사상에 큰 영향을 주었다.

【출전】

◎ 等到眞天理國法人情出來, 天下就太平了.[40]

참된 하늘의 이치와 국가의 법 및 사람의 감정이 출현할 때까지 기다리면 천하가 태평해진다.

---

40) 劉鶚(1857~1909), 『老殘遊記』, 第11回.

천망회회天網恢恢, 소이불루疏而不漏

하늘의 그물은 넓고도 넓어, 성기는 듯하나 새지 않는다

해설: 자연의 범위는 넓고도 넓어 성기는 듯하나 새지 않는다. 하늘의 그물은 자연의 범위이며 후에 이는 국법을 비유했다. 그래서 '천망회회, 소이불루'는 법률 규정이 느슨한 듯하나 범죄자를 처벌 대상에서 누락하지 않는다는 뜻으로 해석이 된다. 현재 이 말은 법을 위반하려는 사람들에게 경고하기 위해 널리 쓰인다.

【출전】

◎ 天之道, 不爭而善勝, 不言而善應, 不召而自來, 繟然而善謀. 天網恢恢, 疏而不失.[41]

하늘의 도는 다투지 않아도 잘 이기고, 말하지 않아도 잘 응하며, 부르지 않아도 저절로 오니 느릿해도 잘 도모한다. 하늘의 그물은 넓고도 넓어, 성긴 듯하나 새지 않는다.

해설: 자연의 법칙은 다투거나 배척하지 않아도 잘 이기고, 말하지 않아도 잘 응하고, 부르지 않아도 오니 느릿한 듯해도 잘 도모한다. 자연의 범위는 광대하여 성기는 듯 새지 않는다.

---

41) 『老子』, 73章.

천하지법天下之法

천하의 법

해설: '천하지법'은 백성들의 행복을 보장하기 위해 만들어진 법으로 군주가 자신의 사리사욕에 따라 만든 일가지법一家之法과 근본적으로 다르다. 이 법은 명말청초明末清初 시기 사상가 황종희黃宗羲(1610~1695)의 주장에서 비롯되었다. 이 법은 맹자의 민본사상을 계승했고, 후에 근대 민주사상으로도 이어졌으며, 이를 통해 중국 현대 법치사상을 형성하고 발전시켰다.

【출전】

◎ 後之人主, 旣得天下, 唯恐其祚命之不長也, 子孫之不能保有也, 思患于未然以爲之法. 然則其所謂法者, 一家之法, 而非天下之法也.[42]

후세의 군주는 천하를 얻고 나면 오로지 그 제위帝位가 오래 가지 못하고 자손들이 이를 지켜 내지 못할 것을 두려워하여 미리 환란을 대비하기 위해 법을 만들었다. 그러므로 이들이 말하는 법은 일가一家의 법일 뿐 천하의 법이 아니다.

해설: 후세의 군주가 천하를 얻고 나면 오직 황위皇位가 오래가지 못하고

42) 黃宗羲, 『明夷待訪錄』, 「原法」.

후대의 자손들이 계속 통치하지 못할까를 걱정하여 화를 당하기 전부터 미리 방지하기 위한 법과 제도를 제정하였다. 그러므로 이들이 말하는 법은 군주 일가의 법일 뿐 천하의 법이 아니다.

도법부족이자행徒法不足以自行

오로지 법만으로는 저절로 실행되기에는 부족하다

해설: 좋은 법이나 제도만으로 좋은 정치를 할 수 없다. 맹자는 법률문화에서 법률 형식이 완벽해야 할 뿐만 아니라 좋은 입법 정신을 구현具現해야 한다고 생각했다. 따라서 완벽한 형식과 좋은 입법 정신이 두 가지가 결합해야 좋은 정치를 할 수 있다.

【출전】

◎ 徒善不足以爲政, 徒法不足以自行.[43]

오로지 선함으로는 정치를 잘하기에 부족하고 오로지 법만으로는 저절로 실행되기에 부족하다.

해설: 오직 좋은 마음으로는 정치를 하기에 부족하고, 오직 법만으로는 저절로 시행되기에 부족하다.

---

43) 『孟子』, 「離婁上」.

왕자범법王子犯法, 여서민동죄與庶民同罪

왕족이라도 법을 어기면 서민과 동등하게 죄를 묻는다

해설: 법과 관련된 고대의 속담이다. 설사 황제의 자손이 법을 위반한다 해도 일반 사람과 동등하게 처벌받는다. '왕자범법, 여서민동죄'는 법 앞에서 모든 사람이 평등하기를 바라는 고대 백성들의 기대에 부응한 것으로, 현대 헌법정신과 통하는 부분이 있다.

【출전】

◎ 衆人都道: "說那里話. 王子犯法, 庶民同罪. 這是因奸殺命的事, 旣犯到官, 還有活命的嗎?"44)

뭇사람들이 모두 말하기를, "그런 말을 한다니! 왕족이라도 법을 위반하면 서민과 동등하게 죄를 묻는다. 이것은 강간치사 사건이고 이미 그 범죄가 관아에까지 알려졌으니, 사형을 면할 수 있겠는가?"라고 하였다.

---

44) 夏敬渠(1705~1787), 『野叟暴言』, 第67回.

위정이덕爲政以德

덕으로 정치를 한다

해설: 도덕 원칙으로 국정國政을 관리하고 국가를 다스리다. 공자는 서주 시기의 통치자들이 줄곧 계승해 온 덕을 분명히 하고 처벌에 신중해야 한다는 사상을 기초로 하여 덕정德政 이념을 주장하였고, 이를 후대 유가들이 계승했다. 덕으로 정치하는 것과 위엄 있게 처벌하는 것은 상대적이다. '위정이덕'은 정치적 결정을 할 때 도덕을 강조하고 또한 도덕과 교화를 통치의 기본 원칙으로 삼고서 여기에 부분적으로 형벌을 활용하는 것이다.

【출전】

◎ 爲政以德, 譬如北辰居其所, 而衆星共之.[45]

덕으로 정치를 하는 것은, 비유하자면 북극성이 그 (고정된) 자리에 있고 나머지 별들이 그 (둘레를) 공전하는 것과 같다.

해설: 도덕과 교화로 국가를 다스리는 것은 하늘에서 북극성이 고정된 자리에 있고 나머지 별들이 그 둘레를 돌고 있는 것과 같다.

---

45) 『論語』, 「爲政」.

무송無訟

송사가 발생하지 않게 한다

해설: 소송 사건을 일으키는 근본적인 사회 문제를 해결하여 소송의 발생 자체를 막거나 소송을 잘 처리하고자 했다. 춘추시대에 예와 악이 무너진 사회 현실 속에서 공자는 '무송' 사상을 통해 군주들이 인을 기초로 한 통치를 하여 소송이 줄어들게 해야 한다고 주장했다. 후세 사람들은 이 무송을 '소송이 없다', '소송을 없애다' 혹은 '소송이 다시는 발생하지 않는다'라고 해석했는데, 이는 사회에 분쟁이 없기를 바란다는 뜻으로 풀이한 것이다.

【출전】

◎ 子曰: "聽訟, 吾猶人也, 必也使無訟乎!"46)

공자가 말하기를 (송사가 발생했을 때 그) 송사를 처리하는 것은 나도 다른 사람과 마찬가지이겠지만 반드시 송사가 발생하지 않도록 해야 한다고 했다.

해설: 공자가 말하기를 송사를 처리하는 것은 나도 다른 사람과 마찬가지이겠지만 송사가 발생하지 않도록 하는 것이 좋다고 했다.

---

46) 『論語』, 「顔淵」.

식송息訟

소송을 그치게 한다

해설: 소송을 해결한다. '식송'은 고대 정부 관리가 소송을 해결하는 방법 가운데 하나이다. 대다수 관리는 소송을 처리할 때 소송 당사자들의 견해 차이를 조정하는데, 고대에 이 일을 잘 처리했던 전형적인 청렴한 관리로 오우吳祐(?~?)와 해서海瑞(1514~1587) 등이 있다. 즉 식송이란 유가의 무송無訟 사상에서 발전된 것으로, 소송 사건을 처리하는 과정에서 소송을 제기한 근거 자료가 부족할 때 취하는 방법이다.

【출전】

◎ 詞訟之應審者, 什無四五. 其里隣口角, 骨肉參商細故, 不過一時競氣, 冒昧啓訟, 否則有不肖之人從中播弄. 果能審理, 平情明切, 譬曉其人, 類能悔悟, 皆可隨時消釋. 間有准理後, 親隣調處, 吁請息銷者, 兩造既歸輯睦, 官府當予矜全, 可息便息.[47]

소송 중 응당 처리해야만 하는 것은 10개 중 4~5개밖에 되지 않는다. (이는) 그 마을에 이웃끼리 다투고 친족끼리 사소한 일로 다퉈 일시적인 다툼으로 사리 판단 없이 소송하거나 불초

47) 汪輝祖(1731~1807), 『佐治藥言』, 「息訟」.

한 사람이 중간에서 농간을 부린 것이다. 심리를 맡게 되면 공정하고 분명하게 일을 처리하여 그 사람을 깨우치고 반성하게 하며 모두 오해를 풀도록 해야 한다. (관부는) 이를 처리한 후 이웃과 친척 사이를 중재하고 (소송을) 취하하게 하여 양측이 화목해지도록 하며, 관부官府가 이를 완벽하게 처리하면 소송이 줄어든다.

해설: 백성의 소송 사건 중에 반드시 심리해야 하는 경우는 10개 중 4~5개 정도이다. 대부분 가까운 사이에 사소한 일에서 비롯되는데 일시적인 충동으로 소송을 하거나 음흉한 사람이 중간에서 도발하여 소송을 하게 만든다. 만일 공정하게 심리하고 사실과 사리를 분명하게 하며 쌍방의 일을 명백하게 밝혀 오해를 풀 수 있게 된다면 화해를 할 수 있다. (관부가) 소송을 처리한 후 친척과 이웃 간에 화해시켜 소송을 취하하게 만들어야 하며, 이미 그 일에서 쌍방이 화해하여 관부가 이를 완벽하게 하면, 소송이 줄어든다.

형무등급刑無等級

형벌에서는 신분의 등급을 고려하지 않는다

해설: 법 앞에서는 지위 고하와 귀천의 구분이 없다. 이는 전국시대 상앙이 주장한 사상이다. 상앙은 법률이 최고의 권위를 지녀서 어떤 사람이든 임금의 명령과 국법을 어기면 예외 없이 처벌해야 한다고 주장했다. 상앙은 이러한 주장을 통해 귀족의 특권에 반대하고 군주의 절대 권력을 강화하여 변법變法을 추진하고자 했다. '형무등급'은 현대 법치주의 정신과 상통하는 부분이 있다.

【출전】

◎ 所謂壹刑者, 刑無等級. 自卿相, 將軍以至大夫, 庶人, 有不從王令, 犯國禁, 亂上制者, 罪死不赦.[48]

형벌을 하나로 한다는 것은 형벌에서 신분의 등급을 고려하지 않는다는 것이다. 경卿과 재상 또는 장군으로부터 대부大夫와 서민에 이르기까지 왕령王令을 따르지 않고 국가에서 금하는 것을 위반한 경우에 그 죄는 사형을 받아야 하며 사면될 수 없다.

해설: 형벌의 통일은 사람들의 지위를 따지지 않고 처벌하는 것이다.

---

48) 商鞅으로 추정. 『商君書』, 「賞刑」.

경과 재상 및 장군으로부터 대부와 평민에게 이르기까지 국왕의 명령을 따르지 않고 국가의 법으로 금한 것을 위반하는 경우 국가의 제도를 파괴하는 행위이므로 사형을 내려야 하며 사면될 수 없다.

일단우법一斷于法

법에 따라 동일하게 판결하다

해설: 친소親疏와 귀천貴賤을 따지지 않고 법률에 따라 일률적으로 판결한다. '일단우법'은 고대 학자들의 관점에서 법가사상의 특징이다. 법가의 학자들이 법은 응당 모든 사람의 행동에 대한 객관적인 표준이 되어야 하고, 신분의 고하와 관계없이 모든 사람이 법을 지켜야 한다고 생각했다. 본래 일단우법은 법가의 사상을 평가절하하려는 뜻이 내포되어 있었으나 후세에 이 술어의 활용 범위가 늘어나면서 중국인의 공평公平과 정의正義를 추구하는 법률관을 드러낸 말이 되었다.

【출전】

◎ 法家不別親疏, 不殊貴賤, 一斷于法, 則親親尊尊之恩絶矣.[49]

법가는 친소를 구별하지 않고 귀천을 구분하지 않아 법에 따라 동일하게 판결해야 한다고 한즉 혈친끼리 친하고 존중해야 할 사람을 존중하는 마음이 끊어졌다.

해설: 법가는 친소를 구별하지 않고 귀천을 구분하지 않아 일률적으로

49) 司馬遷(기원전 145~?), 『史記』, 「太史公自序」.

법령에 따라 판결해야 한다고 주장하였다. 이에 따라 친족끼리 친하고 윗사람을 존중하는 관계가 끊어졌다.

유치법이후유치인有治法而後有治人

잘 다스릴 법이 있고 그 뒤에 잘 다스릴 사람도 있어야 한다

해설: 먼저 좋은 법을 제정한 뒤에야 통치를 잘하는 인재가 나타난다. 치법론治法論은 황종희黃宗羲가 주장한 법치사상의 핵심 내용으로, 그 내용은 유가사상에서 인치人治를 중시하고 법치를 경시輕視한 생각과 반대되었다.[50] 이 사상은 중국 역사상 하나의 독자적인 사상이 되었다. 그래서 근대 시기에 뜻있는 선구자들은 치법론을 중국 현대 법치사상의 시작이라고 생각했다.

【출전】

◎ 使先王之法而在, 莫不有法外之意存乎其間. 其人是也, 則可以無不行之意. 其人非也, 亦不至深刻羅網, 反害天下. 故曰有治法而後有治人.[51]

선왕의 법이 존재하게 하면 법 밖의 뜻이 그 사이에 존재하지 않음이 없다. 그 사람이 옳으면 행해도 안 될 것이 없으며, 그 사람이 옳지 않으면 또한 제대로 법망에 닿지 못할 뿐만 아니라 도리어 천하에 해를 끼칠 수 있다. 그러므로 말하길

50) 출전 속 황종희의 생각은 본 표제어 해설, 뒤의 출전 해설과 달리 인치를 중시하였다. 이는 표제어 해설과 출전 해설에서 황종희의 생각을 오독한 것으로 보인다.
51) 黃宗羲, 『明夷待訪錄』, 「原法」.

잘 다스릴 법이 있고 그 뒤에 잘 다스릴 사람도 있어야 한다.

해설: 고대 어진 임금의 법도는 법 밖에서도 입법 정신을 유지하고 있다. 적합한 사람이 재위하면 자유롭게 그의 정치 이념을 펼칠 수 있다. 이와 달리 적합하지 않은 사람이 정권을 잡으면 엄격하게 법을 집행하지 못하므로 천하에 해가 된다. 그러므로 먼저 좋은 법이 있고 난 뒤에야 천하를 잘 다스릴 인재가 나타날 수 있다.

치국무기법즉란治國無其法則亂, 수법이불변즉쇠守法而不變則衰

국가를 다스리는 데 그 합당한 법이 없으면 혼란해지고,
법을 고수하기만 하고 변화시키지 않으면 쇠락한다

해설: 국가를 다스릴 때 법이 없으면 혼란해지고, 법을 준수하기만 하고 변혁變革을 하지 않으면 쇠락해진다. 선진先秦 시기 법가의 대표적 인물 중 한 사람인 신도愼到(기원전 395~기원전 315)가 이 사상을 주장했다. 이 구절을 통해 법률이 국가 통치에 있어 어떤 역할을 하는지 알 수 있고, 또한 법률이 시대의 변화에 따라 끊임없이 변화해야 함을 알 수 있다. 신도는 통치자가 도로써 법을 개정할 줄 알아야 한다고 생각했는데, 즉 그는 사회의 상황에 따라 법을 개정해야 한다고 주장했다. 현대사회에서도 법을 개정할 때 법과 상황을 살펴 법이 가지는 폐쇄성과 개방성을 모두 고려해야 한다.

【출전】

◎ 故治國無其法則亂, 守法而不變則衰. 有法而行私, 謂之不法. 以力役法者, 百姓也. 以死守法者, 有司也. 以道變法者, 君長也.[52]

그러므로 국가를 다스리는 데 그 합당한 법이 없으면 혼란해지고, 법을 고수하기만 하고 변화가 시키지 않으면 쇠락해진다. 법이 있지만 사사로이 시행하면 불법이라고 부른다. 힘써 법에

52) 歐陽詢(557~641), 『藝文類聚』, 卷54.

복역服役하는 자는 백성이요, 죽음으로 법을 지키는 자는 유사有司요, 도道로 법을 개정하는 자는 임금이다.

해설: 그러므로 국가를 다스리는 데 법이 없으면 사회가 혼란스럽고, 법률을 지킬 줄만 알고 변혁이 없으면 쇠락해진다. 법이 존재함에도 집행하는 관리가 사사로운 정에 따라 사욕을 채운다면 법을 위반하는 것이다. 스스로 법을 지키는 것은 백성의 일이다. 그리고 죽음으로 엄격하게 법률을 지키는 것은 정부기관의 일이다. 형세의 변화에 따라 법과 제도를 끊임없이 개정하는 것은 국가 지도자의 일이다.

죄의유경罪疑惟輕

죄상이 의심스러우면 가볍게 처벌한다

해설: 범죄가 발생했을 때 사실관계를 확인할 수 없으면 피의자被疑者를 가볍게 처벌한다. '죄의유경'은 옛사람들의 경험을 바탕으로 표준화한 개념이다. 통치자는 이를 근거로 인치仁治를 표방하고, 가벼운 처벌을 통해 백성을 교화하고자 했다. 이 사상은 고대의 인치와 처벌에 신중한 사상을 함께 드러낸 것으로, 현대 중국의 사법司法 관행慣行에 영향을 주었다.

【출전】

◎ 罪疑惟輕, 功疑惟重.[53]

죄상이 의심스러우면 가볍게 처벌하고, 공적이 의심스러우면 후하게 포상한다.

해설: 범죄와 그에 대한 처벌의 경중輕重을 쉽게 결정할 수 없을 때는 가볍게 처벌한다. 그리고 공적과 그에 대한 포상의 경중을 쉽게 결정할 수 없을 때는 후하게 포상한다.

53) 『尙書』, 「大禹謨」.

제2편

법률제도

法律制度

별적이재別籍異財

호적을 따로 만들어 재산을 나누다

해설: 자식들이 부모나 조부모가 살아 있는데 호적상 본인만의 가정과 재산을 설정하는 행위를 처벌한다. 수隋(581~619)·당唐(618~907) 시기에 가족끼리 별도의 호적과 재산을 나누는 행위를 금지하기 시작했다. 『당률唐律』 「명예율名例律」 '십악十惡' 중 '불효不孝' 제1조에 '부모가 계시는데 호적을 따로 만들어 재산을 나눈다'는 내용이 있다. 이후 역대 법전에서도 별적이재別籍異財의 금지를 명문화했는데, 이는 그 목적이 대가족 제도를 유지하는 데 있다.

【출전】

◎ 諸祖父母, 父母在而子孫別籍異財者, 徒三年.[1]

무릇 조부모와 부모가 살아 있는데도 자손이 호적을 따로 만들어 재산을 나누는 자는 도형徒刑[2] 3년에 처한다.

해설: 무릇 조부모와 부모가 살아 있는데도 따로 호적을 분리하여 집안의 재산을 나누는 것은 도형 3년에 처한다.

---

1) 長孫無忌·李勣 등, 『唐律疏議』, 「戶婚」.
2) 5형 중 하나로 일정한 장소에 보내 정해진 기간 동안 강제 노역을 하는 형벌이다.

차관별추差官別推

관리를 파견하여 별도로 심리한다

해설: 약칭으로 '이추移推'라고 한다. '차관별추'는 범인이 심문당할 때나 형이 집행되기 전 자백을 뒤집거나 불복하여 무죄를 주장하면 원심原審을 맡은 기관이 반드시 이 안건을 상급 기관에 보고하고, 상급 기관에서는 관리를 파견하여 해당 안건을 다시 심리하는 것을 가리킨다. 이 제도는 오대五代 시기(907~979)에 시작되어 송나라 때 발전했다. 이는 번이별감翻異別勘[3]의 일종으로 이를 통해 잘못된 판결을 방지하고자 했다. 그리고 이는 금金(1115~1234)·원元(1271~1368)·명明(1368~1644)·청淸(1616~1912) 등 여러 왕조에서 제소提訴와 복심覆審하는 제도에 흡수, 계승되어 큰 영향을 미쳤다.

【출전】

◎ "制勘公事, 只令于臨近州府抽差司獄, 其間或是親姻, 必有幸門. 乞令制勘官取便抽差." 詔令後凡差官推勘公事, 所要司獄取便抽差.[4]

---

3) 자백을 번복하면 별도로 재심하는 제도이다.

4) 徐松(1781~1848), 『宋會要輯稿』, 「刑法 三」.

"공사公事를 살펴보고 결재할 때 다만 인근 주州나 부府에 명령하여 사옥司獄을 선발해 파견하는데, 그 (사옥과 범인) 사이가 혹 친인척이면 반드시 요행이 있을 수 있습니다. 담당할 관리를 달리 선발하여 파견해 주시기를 청합니다."[5] 무릇 공사를 규명하고 바로잡을 수 있도록 사옥을 달리 선발할 수 있게 조령詔令을 구한다.[6]

해설: "소송 안건의 심리를 살펴보고 결재할 때 만약 범인이 심문받는 중이거나 처벌되기 전 자백을 뒤집거나 불복하여 무죄를 주장하는 상황이 생기면 반드시 관원을 파견하여 다시 심리해야 합니다. 이때 만일 인근 기관에서 관원을 선발하여 파견한다면 관리와 범인이 친인척 혹은 이해관계가 있어서 서로 비호庇護할 수 있습니다. 그러므로 (원심기관에서) 안건을 다시 상고上告하여 심리할 사법기관을 또 지정하지 않도록 (상급 기관에서) 잘 판결해 주시길 요청합니다." 이제부터 관원을 파견할 때 달리 선발할 수 있도록 조령을 구한다.

5) 원심을 담당한 기관의 관리가 요청한 내용이다.
6) 원심을 담당한 기관이 요청한 사안을 접수한 상급 기관이 황제에게 상주한 내용이다.

존류양친存留養親

남아서 부모를 부양하게 하다

해설: 고대 형사제도刑事制度이다. 이 제도에 따르면 부모나 조부모 같은 나이 든 사람이 있는데, 성인成人인 자손이나 (대신해서) 부양을 기대할 수 있는 사람이 없는 경우는 부모를 돌보도록 허락하되 부모가 사망한 후에 처벌하거나 다시 판결한다. 존류양친 제도는 북위北魏 시기(386~534)에 시작되어 당나라 시기에 완성되었으며, 명·청 시기에도 이어졌으니 그 역사가 천여 년에 이른다. 고대 중국 법률제도에서는 존류양친 제도를 통해 법과 인정을 모두 고려하여 판결했다.

【출전】

◎ 諸犯死罪, 若祖父母, 父母年七十已上, 無成人子孫, 旁無期親者, 具狀上請. 流者鞭笞, 留養其親, 終則從流. 不在原赦之例.[7]

사형에 처할 죄를 지었을 때 만약 조부모나 부모가 70세 이상인 경우인데 성인이 된 아들과 손자가 없거나 곁에 (대신해서 부양을) 기대할 친척이 없으면 장계를 갖추어 위에 요청한다. 유배될 사람은 곤장을 친 뒤 남아 있게 해 그 (조부모,) 부모

7) 魏收(506~572), 『魏書』, 「刑罰志」.

곁에서 부양하고, 그 부모가 사망하면 유배를 보낸다. 다만 이것은 사면의 원래 항목에 포함되어 있지 않다.

해설: 범죄자가 사형에 처할 범죄를 저질렀는데, 그의 조부모나 부모가 70세 이상인 경우 성인이 된 아들과 손자가 없거나, 대신 (그 부모를) 부양해 줄 친척이 없으면, 이를 황제에게 상주上奏한다. 유배형에 처할 범죄의 경우는 먼저 곤장형을 받고 집으로 돌아가 그 부모의 곁에 머물며 부양한다. 그 후 그 부모가 사망한 뒤에 형벌을 다시 집행한다. 부양 기간에 사면령이 내려진다 해도 나중에 받을 유배형을 사면할 수 없다.

대리시大理寺

대리시

해설: 고대 중국 중앙의 사법기관의 기관명이다. '대리'는 본래 법관法官의 관직명인데, 하나라(기원전 2070?~기원전 1600?)에서 기원한 것으로 보인다. 춘추전국시대에는 대리를 '리理'라고 불렀다. 북제北齊(550~577) 시기에 처음으로 '대리시'를 설립했고, 수·당 시기에 계승되었다. 당나라 때 대리시는 중앙 최고 사법기관으로, 중앙 관리들의 범죄와 수도지역 도형 이상의 범죄를 심리했으며, 이 기관은 형부에서 이관移關한 지방 내에서 처리가 어려운 사건에 대한 재심권再審權도 가지고 있었다. 이 기관의 장관은 대리시경大理寺卿이라고 칭했으며, 이 관직은 구경九卿의 반열에 있다. 송나라 신종神宗 원풍元豐 연간(1067~1085)에는 대리시 안에 대리시옥大理寺獄도 설치하여, 대리시의 옥사獄事를 관장하는 직권職權을 회복시켰다. 원나라 때에는 대리시를 설치하지 않았고, 이 직권을 형부로 귀속시켰다. 명나라 때에는 대리시와 형부가 이 직권을 나눴는데, 대리시의 관리들은 재심을 관리하고, 형부에서 심판권審判權을 가지고 있었다. 청나라는 명나라의 제도를 이어받아 1906년 대리시를 대리원大理院으로 개칭改稱했고 대리원은 최고 사법기관이 되어 법률 해석과 지방 내 각급各級의 심리까지도 감독했다.

【출전】

◎ 古謂掌刑爲士, 又曰理. 漢景帝加大字, 取天官貴人之牢曰大理之義. 後漢後, 改爲廷尉, 魏復爲大理. 南朝又名廷尉, 梁改名秋卿. 北齊, 隋爲大理, 加侍字. 龍朔改爲詳刑寺, 光宅爲司刑, 神龍復改.[8)]

고대에는 형의 집행을 '사士'라고 했으며, '리理'라고도 했다. 한나라 경제景帝가 여기에 '대大'를 넣은 것은 「천관」의 '귀인지뢰貴人之牢는 대리大理라고 불린다'(라는 구절의) 뜻을 취한 것이다. 후한後漢(25~220) 이후 '정위廷尉'로 개칭改稱되었고, 위나라(220~265) 때 다시 '대리'로 되돌렸다. 남조南朝 시기에 다시 '정위'라고 되돌렸으며, 양나라(502~557) 시기에 '추경秋卿'이라고 개칭되었다. 북제와 수나라 시기에 대리에 '시寺'자를 추가했다. 용삭龍朔 시기[9)]에 '상형시詳刑寺'이라고 개칭되었고, 광택光宅 시기[10)]에 다시 '사형司刑'으로 되돌렸다가, 신룡神龍 시기[11)]에 또다시 (상형시로) 되돌렸다.

해설: 고대에 형의 집행을 '사'라고 했으며 '리'라고도 불린다. 한나라 경제景帝(재위기간: 기원전 157~기원전 141)가 '대'자를 넣은 것은 「천문」의 '귀인지뢰는 대리라고 불린다'는 뜻을 취한 것이다. 후한 시기 이후에 '정위'로 개칭되었고, 위나라 시기에 '대리'로 되돌렸다가, 남조 시기에 '정위'로 되돌렸으며, 양나라 시기에 '추경'이라고 개

---

8) 劉昫(887~946) · 張昭遠(?~?) · 賈緯(?~952) · 趙熙(?~?) 등, 『舊唐書』, 「職官志 三」.
9) 당나라 高宗(재위기간: 631~649)의 세 번째 연호로, 661~663년에 해당한다.
10) 당나라 睿宗(재위기간: 756~762)의 두 번째 연호로, 684년에 해당한다.
11) 당나라 則天武后와 中宗의 두 번째 연호로, 705~707년에 해당된다.

칭되었다. 북제와 수나라 시기에 '대리'에 '시'자가 추가되었고, 당나라 용삭 시기에 '상형시'로, 광택 시기에 '사형'으로 개칭했으며, 신룡 시기에 '대리시'로 되돌렸다.

번이별감飜異別勘

번복한 자백에 대해 복심하다

해석: 이는 고대 소송제도이다. 이것은 오대 시기(907~960)에 시작되어 송대에 이르러 발전되었다. 번이飜異란 범인을 심문할 때 혹은 형을 집행하기 전에 범인이 자백을 번복하거나 억울해하며 불복하는 것이다. 별감別勘은 다른 사법기관에서 복심하는 것이다. 번이별감은 범인을 심문하는 중이거나 처형을 집행하려 하는데 범인이 자백을 번복하고 제소하면 해당 안건을 다시 심리하는 제도이다. 송나라 때 이 제도는 원심청原審廳 내에서 하는 '이사별감移司別勘'[12]과 상급 기관에서 복심하는 '차관별추差官別推'[13]로 분리되었다. 『송형통宋刑統』에서는 복심을 3번에 제한했는데, 남송 때 5번으로 늘어났다. 이 제도는 오심誤審을 방지하는 데 도움이 되었으며, 옛 사람들이 현명하게 법을 집행한 모습을 보여 준다.

【출전】

◎ 在法, 獄囚飜異, 皆委監司差官別推. 若犯徒流罪, 已錄問後, 引斷飜異, 申提刑司審詳. 如情犯分明, 則行下斷遣. 或大情疑

12) 다른 기관에 이관하여 覆審하는 일을 이른다.
13) 관리를 파견하여 복심하는 일을 이른다.

慮, 推勘未盡, 卽令別勘.[14]

법에 따라 옥에 갇힌 사람이 자백을 뒤집거나 불복하면 모두 감사監司[15]에서 선발한 관리에게 맡겨 심리하도록 했다. 만약 도형이나 유형流刑[16]에 처할 죄를 저질렀는데 이미 심문한 내용이 기록된 뒤에 (다른 증거를) 끌어와서 자백을 번복하거나 불복하면 형사刑司가 상세히 심문하도록 위에 청하였다. 만약 범죄 상황이 분명하면 판결했으며, 혹은 크게 상황이 의심스러운데도 심문이 미진하면 따로 심문하도록 했다.

해설: 법률 규정에 따라 범인을 심문하는 중이거나 형이 집행되기 전에 범인이 자백을 뒤집거나 불복하면 감사에서 임명한 관리를 파견하여 다시 심리했다. 만일 유형에 처해야 하는데 범인을 심문하여 사건 경위를 기록한 뒤에 자백을 뒤집으면 형사를 파견하여 상세히 심문하고 조사하도록 하였다. 사건의 경위가 분명해진 뒤에야 처벌하고, 의심스러운 면이 있으면 다른 사법기관에서 복심을 하였다.

14) 徐松(1781~1848), 『宋會要輯稿』, 「刑法 三」.
15) 송대에 설립된 감찰기관.
16) 5형 중 하나로 유배를 보내는 것이다.

격格

격

해설: 고대 법률 형식이다. 이는 주로 남북조 시기부터 원나라 때까지 행해졌다. '격'이라는 명칭은 한나라 때의 '과科'에서 기원했고, 동위東魏(534~550)의 효정제孝靜帝(재위기간: 534~550)가 '인지격麟趾格'을 제정하여 과科를 격으로 대체했다. 수·당 시기에 격은 4가지 법률 형식 중 하나였다. 격의 주요 내용은 2가지이다. 첫 번째는 황제가 일상적으로 수정한 율령이나 이에 관련된 형량의 조절에 대한 칙령을 집성集成한 것이다. 두 번째는 국가기관의 각 부에서 일상 업무 중에 따르는 세칙이다. 당나라 때 격은 둘로 나뉘는데, 그것은 천하에 반포하는 산반격散頒格과 관서에만 쓰이고 널리 반포하지 않는 유사격留司格이다. 송나라 때 격은 대부분 유사격이었다. 원나라 때 격은 률律을 대체하면서 가장 중요한 법률 형식이 되었으며, 특히 『지원신격至元新格』은 원나라의 첫 번째 성문법전成文法典이다. 그러나 명·청 시기에 격은 단독으로 쓰이는 법률 형식이 아니었다.

【출전】

◎ 格者, 百官有司之所常行之事也.[17)]

격은 백관百官과 부서가 항상 실행하는 일이다.

해설: 격은 백관과 부서가 항상 실행하는 일이다.

17) 歐陽修(1007~1072)·宋祁(998~1061)·曾公亮(998~1078) 등,『新唐書』,「刑法志」.

화외인상범化外人相犯

외국인 사이의 범죄

해설: 고대 중국 내에서 거주하는 외국인을 화외인化外人이라고 불렀는데, 이들 사이의 범죄를 '화외인상범化外人相犯'이라고 불렀다. 『당률소의唐律疏議』의 규정에 따르면, 외국인이 당나라 경내에서 범죄를 저지를 경우 법적인 제재制裁를 받았다. 같은 국적의 외국인 사이에 범죄가 발생하면 해당 국가의 국법에 따라 재판했다. 국적이 서로 다른 외국인 사이에 혹은 외국인과 중국인 사이에 범죄가 발생하면 『당률唐律』에 근거하여 재판했다. 이 규정은 외국인의 풍속과 법률을 존중하면서 동시에 당나라의 법률 원칙을 존중한 것이다. 어떤 학자는 『당률』 속 화외인상범의 규정이 중국 고대 사법私法 시행의 경험을 담고 있다고 생각했다.

【출전】

◎ 諸化外人, 同類自相犯者, 各依本俗法, 異類相犯者, 以法律論.[18]

여러 외국인들의 경우, 같은 국적의 사람들끼리 범죄를 저지르면 각각 본국의 풍속과 법에 따르며, 다른 국적의 사람끼리 범죄를 저지르면 (당나라의) 법률에 따라 판결한다.

---

18) 長孫無忌 · 李勣 등, 『唐律疏議』, 「名例律」.

해설: 다른 민족인 사람들이 중국 경내에서 거주하는데, 같은 국적의 사람끼리 범죄를 저지르면 해당국의 법률제도에 따라 처벌한다. 다른 국적의 사람끼리 범죄를 저지르면 중국 법률에 따라 판단해서 처벌한다.

환추換推

바꿔서 추천하다

해설: 중국 고대 법관의 상피제도相避制度이다. 『당육전唐六典』의 규정에 따라 만약 재판장과 심문을 받는 사람의 관계가 친척 관계이거나 일찍이 사제師弟 관계 혹은 관장官長[19]·요좌寮佐[20] 관계를 맺었거나 원한 관계 혹은 서로 혐오하는 관계인 경우 이 둘을 상피相避할 수 있도록 허락하고, 심리기관에서 다른 법관을 추천하여 심리하게 하였다. 이후 역대의 왕조는 법관들의 상피제도를 계속 시행했다. 환추제도는 옛날 중국 사람들이 법을 현명하게 집행한 모습을 나타낸 제도로, 그 지향점이 현대의 법 절차와 법치 이념의 측면에서 서로 통한다.

【출전】

◎ 凡鞫獄官與被鞫人有親屬, 仇嫌者, 皆聽更之.[21]

무릇 국옥鞫獄[22]을 담당하는 관리와 국문을 당하는 사람이 친족이거나 원한이 있는 경우는 모두 국옥을 담당하는 관리의 변경

---

19) 관청의 상급 관리를 가리킨다.
20) 관청의 하급 관리를 가리킨다.
21) 唐玄宗, 『唐六典』, 「刑部郎中員外郎」.
22) 임금의 명령에 따라 綱常罪 같은 중죄를 국문하는 옥사이다.

을 받아들인다.

해설: 재판장과 심문을 당하는 사람의 관계가 친족이거나 원한 관계이면 재판장의 변경을 허락한다.

긍노휼유矜老恤幼

노인과 어린아이를 불쌍히 여기다

해설: 고대에 미성년자와 노인에 대한 형사의 책임을 경감시키거나 면제해 주는 법률 원칙이다. 긍矜은 불쌍히 여긴다는 뜻이다. 서주 시기의 법률에서는 7세 이하의 어린아이와 80세 이상의 노인은 형사 책임을 질 수 없는 사람들이므로 형사처벌을 받지 않도록 규정했다. 이후, 역대 왕조에서도 법률을 제정할 때 노인과 어린아이에게 관대하게 처벌하려는 정신을 계승했다. 긍노휼유 원칙은 고대 중국의 법률에서 사람을 근본으로 삼는 가치와 배려의 모습을 나타낸다.

【출전】

◎ 悼與耄, 雖有罪, 不加刑焉.[23]

어린이와 노인은 비록 죄가 있다고 하더라도 형벌을 가하지 않는다.

해설: 7세 이하의 유아와 80~90세의 노인은 모두 설사 죄가 있다고 하더라도 이들에게 형벌을 가하지 않는다.

---

23) 『禮記』, 「曲禮上」.

구경회심九卿會審

구경九卿이 모여 심리하다

해설: 명·청 시기에 중대하고 해결이 어려운 사건을 처리하는 최고 등급의 법률제도이다. 명나라 시기에는 '구경원심九卿圓審'이라 불렀다. 청나라 시기에도 이 제도를 계승하여 '구경회심九卿會審'이라고 개칭했는데, 이 제도에 따라 6부와 도찰원都察院, 통정사사通政使司, 대리시의 9 아문衙門의 장관들이 중대한 사건을 재조사하고 심리하여 판결했으며, 황제에게 해당 판결의 내용을 보고하고 비준을 받아야 했다. 이때 사건을 심리하는 관원들의 수는 9명으로 제한하지 않았다. 고대 시기에 구경회심을 통해 형벌의 적용을 신중히 하려고 했다.

【출전】

◎ 外省刑名, 遂總彙于按察使司, 而督撫受成焉. 京師笞杖及無關罪名詞訟, 內城由步軍統領, 外城由五城巡城御史完決. 徒以上送部, 重則奏交, 如非常大獄, 或命王, 大臣, 大學士, 九卿會訊.[24]

---

24) 趙爾巽 등, 『清史稿』, 「刑法志 三」.

외성外省지역의 형명刑名[25]은 안찰사사按察使司에 모여서 독무督撫[26]가 접수하여 처리했다. 수도首都 내 태형笞刑과 장형杖刑 및 (특정) 죄명이 없는 소송의 경우, 내성內城에서는 보군통령步軍統領을 통해서, 외성外城에서는 오성五城[27]의 순성어사巡城御史를 통해서 판결한다. 도형 이상의 범죄는 (6)부에 보내 처리하되 중대한 사건이면 황제에게 상주하며, 매우 큰 옥사인 경우는 왕이나 대신, 대학사 및 구경이 모여 함께 심리하도록 명하였다.

해설: 외성에서의 형사사건은 안찰사사에 모여서 독무를 통해 접수하고 처리했다. 수도 내에서 태형이나 장형, (특정) 죄명이 없는 범죄의 경우, 내성에서는 보군통령을 통해, 외성에서는 오성의 순성어사를 통해 판결했다. 도형 이상에 처해야 하는 사건의 경우 (6)부에 보고하고, 중대한 사건이면 황제에게 상주한다. 만약 아주 중대하고 의심스러운 사건이면 황제, 대신, 대학사와 이부, 호부, 예부, 병부, 형부, 공부, 도찰원, 통정사사와 대리시 (이) 9개 아문의 장관들이 함께 심문했다.

25) 여기서는 형률이나 형사사건을 의미한다.
26) 명·청 시기 각 성의 행정과 군사 및 경제를 관할하는 장관인 總督(정2품)과 지방의 행정, 감찰 및 사법 업무를 담당한 巡撫使(종2품)를 가리킨다.
27) 北京 내의 東, 西, 南, 北, 中城을 가리킨다.

국언분사鞫讞分司

심리와 판결을 분리하다

해설: 심리와 판결을 분리하여 담당 관리들의 책임도 나눈다. 송나라 때 지방의 형사 재판 과정은 크게 국鞫과 언讞 두 단계로 나뉜다. 국은 범죄사실을 심리하는 것이다. 언은 죄에 대한 형량을 정하는 것이다. 이때, 사법기관의 부서는 심리를 담당하는 부서와 판결을 담당하는 부서로 나누었고, 재판할 때 심리와 판결을 분리했다. '국언분사鞫讞分司'는 송나라 시기의 사법문화와 판결 수준이 고대 중국의 법제사상 정점에 이르렀음을 보여 줬으나, 원나라와 명나라 및 청나라 때 이 제도는 계승되지 않았다.

【출전】

◎ 獄司推鞫, 法司檢斷, 各有司存, 所以防奸也.[28]

옥사獄司는 추국하고 법사法司는 판결하는데, 각각의 부서를 둔 것은 서로 관여하지 못하도록 하기 위해서다.

해설: 옥사는 범죄사실을 심리하고, 법사는 형량을 결정한다. 각 사법기관이 독립적으로 활동하여 권력이 과도하게 집중되어 나타나는 독단과 권력남용을 효과적으로 막는다.

28) 黃淮 等, 『歷代名臣奏議』, 卷217.

거경이명중擧輕以明重, 거중이명경擧重以明輕

가벼운 죄를 근거로 중한 죄에 대해 처벌을 결정하고,
중한 죄를 근거로 가벼운 죄에 대해 처벌을 결정한다

해설: 중국 고대에 법으로 정한 재판 규정이다. 법률에서 명문화明文化되지 않은 규정일 경우 가장 근접한 내용의 율문律文과 비교하여 죄명을 정하고 형벌을 가감加減한다. 예를 들어 「적도율賊盜律」의 규정에 따르면, 가해자가 밤에 이유 없이 다른 사람의 집에 침입했을 때 주인이 그를 죽여도 처벌하지 않는다. 같은 이치로 주인이 침입자에게 상해를 입혀도 무죄이다. 이는 중한 경우를 근거로 가벼운 경우에 대한 처벌을 결정한 것이다. 또한 이 규정에 따라 웃어른 이상의 친지를 살해하면 사형에 처한다. 같은 이치로 만일 심각한 살상殺傷인 경우는 무조건 사형에 처한다. 이는 가벼운 죄를 근거로 중한 죄에 대한 처벌을 결정하는 것이다. 이 규정은 옛 중국인들이 법을 현명하게 집행한 모습을 드러냈고, 현재에도 적용할 수 있으므로 법학의 방법론 면에서 학술적 가치가 있다.

【출전】

◎ 諸斷罪而無正條, 其應出罪者, 則擧重以明輕……其應入罪者, 則擧輕以明重.[29]

죄를 단죄해야 하는데 이에 꼭 들어맞는 조문條文이 없을 때, 그 가운데 마땅히 면죄해야 하는 경우는 (이전 비슷한 종류의 범죄 사건의) 중한 것을 근거로 들어 가벼운 죄에 대한 처벌을 결정하고…… 죄를 주어야 하는 경우는 (이전 비슷한 종류의 범죄 사건의) 가벼운 것을 근거로 들어 중한 죄에 대한 처벌을 결정한다.

해설: 무릇 법률에서 명문화된 규정이 없는 경우를 판결할 때, 그중 사면해야 하는 사건은 해당 사건과 비슷하면서도 무거운 범죄를 사면해준 사례를 참고하면 (비슷한 범죄를) 가볍게 저지른 상황에 해당하므로 사면하는 것이 맞다.…… 그중에 처벌해야 하는 사건은 이미 처벌한 적이 있는 (비슷한 사건의) 가벼운 범죄인 사례를 참고하여 처벌하는 것이 맞다.

29) 長孫無忌·李勣 등,『唐律疏議』,「名例律」.

령令

령

해설: '령令'은 고대에 가장 중요한 법률 형식 중 하나로, 법률 형식으로서의 령은 서주 시기에 처음 출현하였다. 처음에 령은 률을 보조하는 역할을 했지만, 진晉나라(265~316) 때 만든 법전에서, 령은 률과 성격은 달랐지만, 령과 률을 동등한 지위의 성문법成文法으로 간주했다. 수·당 시기에 령은 률, 격格, 식式과 함께 주요 법률 형식이 되었다. 송나라 이후에 령은 그 중요성이 점차 줄어들면서 청나라 시기에 중국 법제사에서 사라졌다.

【출전】

◎ 前主所是著爲律, 後主所是疏爲令.[30]

선대의 군주가 분명히 밝힌 것이 률律이고, 후대의 군주가 풀이한 것이 령令이다.

해설: 선대의 군주가 분명하게 제정한 것이 법률이고, 후대의 군주가 정확하게 풀이한 것이 법령이다.

30) 班固, 『漢書』, 「杜周傳」.

육례六禮

육례

해설: 고대 중국 혼인 과정에서 순서대로 진행하는 여섯 가지 예의禮儀를 통칭하는 말이다. 이는 납채納采[31], 문명問名[32], 납길納吉[33], 납징納徵[34], 청기請期[35], 친영親迎[36] 순으로 진행했다. 주로 사대부士大夫들이 육례를 행했는데 이후 서민들에게도 따르도록 했다. 전국戰國시대와 한나라 초기에 유가에서 규정한 예식禮式과 관련된 규정은 『예기』「혼의昏義」와 『의례儀禮』「사혼례士昏禮」에 기록되어 있다. 이후 예교禮敎와 관련된 경전經典과 사서史書 기록에 따르면 역대 「호혼율戶婚律」[37]은 육례에 따라 혼인과 관련된 법조문을 제정했다. 이렇듯 중국 전통 혼인 풍습과 발전 양상은 항상 육례의 영향을 받았다.

31) 신랑 집에서 신부 집에 혼인을 요청하는 일을 가리킨다.
32) 신부 어머니의 성씨를 묻는 일을 가리킨다.
33) 신랑 집에서 혼일날을 정해 신부 집에 전달하는 일을 가리킨다.
34) 신랑 집에서 신부 집으로 예물을 보내는 일을 가리킨다.
35) 신부 집에 보낸 혼인날의 可否를 묻는 일을 가리킨다.
36) 신랑이 신부 집에서 신부를 데려와 자신의 집에서 혼인을 올리는 일을 가리킨다.
37) 당나라 시기 혼인과 관련된 법은 『唐律疏議』「戶婚律」에 기록되어 있다.

【출전】

◎ 是以昏禮納采, 問名, 納吉, 納徵, 請期, 皆主人筵幾于廟, 而拜迎于門外.[38]

이런 이유로 혼례에서 납채, 문명, 납길, 납징, 청기를 하는데, 이는 모두 혼주婚主가 사당에서 자리를 마련해 행하며, (사당의) 문밖에서 절하며 영접한다.

해설: 그래서 혼례 의식 중 중매를 통해 청혼하기, 이름을 묻고 점을 보기, 좋은 일을 알리기, 납폐納幣를 보내고 약혼하기, 길일을 정하는 일을 하였는데, 이때 신부 측 혼주가 사당 안에 자리와 탁자를 마련한 뒤 사당 밖에서 신랑 측 사자에게 절하며 영접한다.

38) 『禮記』, 「昏義」.

녹수錄囚

죄수에 대한 처벌이 적절한지 조사하다

해설: 황제나 각급 관리들이 감옥을 순시巡視하며 심문하는 것으로, '여수慮囚'라고도 불리며, 이는 오심誤審을 바로잡기 위해 장기간 해당 사안을 심리하는 일종의 감옥 관리 제도였다. 녹수는 선진 시기에 시작되어, 서한西漢(前漢) 때 정식으로 제도화되었다. 이후에 이 제도는 역대 왕조에서도 이어졌다. 녹수 제도는 명·청 시기에 조심朝審 제도[39], 추심秋審 제도[40]와 결합되었다. 녹수 제도는 고대 통치자들이 인정仁政을 베푸는 대표적인 제도이며, 위나라 명제明帝(재위기간: 226~239), 진나라 무제武帝(재위기간: 266~290), 수나라 고조高祖(재위기간: 581~604), 당나라 태종太宗(재위기간: 626~649) 등의 역대 황제들이 직접 녹수 제도를 살폈다.

【출전】

◎ 每行縣錄囚徒還.[41]

매번 지방 현을 순시할 때 죄수에 대한 처벌이 적절한지 조사하고 돌아왔다.

---

39) 명·청 시기에 조정에서 파견한 관리들이 사형 안건에 대해 재심하는 제도이다.
40) 청나라 시기 사형 집행에 대한 심사 절차이다.
41) 班固, 『漢書』, 「雋不疑傳」.

해설: 준불의雋不疑(?~?)는 매번 지방 현을 순시할 때 죄수에 대한 처벌이 적절한지 조사하고 수도로 돌아왔다.

률律

률

해설: 고대 법률 형식이다. 제정, 반포頒布, 실시實施 등 국가의 정식 입법 과정과 관련된 법률 문건은 안정성과 규범성 및 보편성이 있어야 한다. 률의 기원을 살펴보면, 률은 법률과 법령의 뜻을 포함하고 있으며, 상 왕조 이전부터 있었던 것으로 보인다. 전국시대 상앙商鞅이 법을 률로 규정하면서 률은 법전의 명칭이 되었다. 송 왕조와 원 왕조 외 다른 중국 역대 왕조에서는 법전을 률이라고 불렀다. 률은 고대 중국의 가장 기본적이고 중요한 법률 형식이었다.

【출전】

◎ 凡律以正刑定罪, 令以設范立制.[42]

무릇 률로 형량을 바르게 결정하고, 령으로 규범과 제도를 제정한다.

해설: 률은 형량을 바르게 하는 데 쓰이고, 령은 규범과 제도를 제정하는 데 쓰인다.

---

42) 唐玄宗,『唐六典』,「刑部郎中員外郎」.

묵자지법墨者之法

묵가의 법

해설: 묵가墨家 집단의 규정 내 주요 원칙은 '사람을 죽인 자는 죽이고, 사람을 상하게 한 자는 처벌한다'이다. 묵가는 전국시대 초기에 묵적墨翟(墨子, 기원전 479?~기원전 381?)이 만든 학파이다. 묵적의 학설을 신봉하는 사람들을 묵자墨者라고 불렀으며, 이 집단의 가장 높은 지도자를 거자巨子라고 불렀다. 모든 묵자들은 거자의 지시에 따랐다. 기록에 따르면, 진秦나라 혜왕惠王(惠文王, 재위기간: 기원전 337~기원전 311) 시기 진나라에서 산 묵가의 거자인 복돈腹䵍(?~?)은 진 혜왕이 자기 아들의 살인죄에 대해 특별사면해 주는 것을 거절하고, '묵가의 법' 내 '사람을 죽인 자는 죽이고, 사람을 상하게 한 자는 처벌한다'는 조항에 따라 자신의 아들을 사형시켰다.

【출전】

◎ 墨者之法曰: "殺人者死, 傷人者刑." 此所以禁殺傷人也.[43]

묵가의 법에서 말하길, "사람을 죽인 자는 죽이고, 사람을 상하게 한 자는 처벌한다"라고 했다. 이는 사람을 죽이거나 상하게 하는 것을 금하기 위한 것이다.

43) 呂不韋(?~기원전 235),『呂氏春秋』,「法私」.

해설: 묵가의 법에서 말하길 "사람을 죽인 것은 목숨으로 대가를 치르게 하고, 사람을 상하게 한 것은 처벌받게 해야 한다"라고 했다. 이는 사람들이 다른 사람들을 죽이거나 상하게 하는 일을 방지하기 위해서이다.

추동행형秋冬行刑

가을과 겨울에 형벌을 집행하다

해설: 고대 중국에서 가을과 겨울에 사형을 집행하는 제도로, 이 제도는 일반 형사사건에만 적용했다. '추동행형'의 개념은 일찍이 선진 시기에 형성되었고, 『좌전左傳』과 『예기』 등에 이와 관련된 기록이 있다. 이 제도에서 봄과 여름은 만물이 성장하므로 이때 상을 주기에 적합하다고 보았고, 가을과 겨울은 스산하고 쓸쓸하므로 이때 처형을 집행하기에 적합하다고 보았다. 한나라의 동중서董仲舒가 이 제도를 제안했고, 이 제도를 통해 통치자들은 법을 집행하는 과정에서 음양陰陽의 순역順逆과 사계절의 운행 법칙이 서로 부합되도록 하였다. 한나라와 그 이후 역대 왕조의 통치자들은 동중서의 이 주장을 받아들여, 가을과 겨울에 처형하는 것을 제도화하였다. 이러한 추동행형은 중국 전통문화의 천인합일天人合一사상 속 자연관과 법률관을 나타낸다.

【출전】

◎ 慶爲春, 賞爲夏, 罰爲秋, 刑爲冬.[44]

경사스러운 일은 봄에 시행하고, 상 주는 일은 여름에 시행하고,

---

44) 董仲舒, 『春秋繁露』, 「四時之副」.

벌주는 일은 가을에 시행하고, 처형하는 일은 겨울에 시행한다.

해설: 칭찬하는 일은 봄에 시행하고, 상을 내리는 일은 여름에 시행하고, 징벌하는 일은 가을에 시행하고, 사형에 처하는 일은 겨울에 시행한다.

추심秋審

가을에 최종적으로 판결하다

해설: 청나라 시기 사형 사건을 복심覆審하는 제도로, 매년 가을에 이를 행했기 때문에 여기에서 이 술어가 유래되었다. 청률淸律[45]에 따르면, 국가 통치를 심각하게 위협하는 범죄는 즉결 처분하였고, 그 외의 범죄는 절감후折監候와 교감후絞監候[46]에 따라 미결인 상태로 둔 뒤 가을에 형부, 대리시, 도찰원 등의 관리들이 모여 복심을 할 때까지 판결을 보류했다. 추심의 결과는 정실情實[47], 완결緩決[48], 가긍可矜[49], 유양승사留養承祀[50] 4가지로 분류된다. 황제가 이를 결재하였는데, 죄상이 확실한 경우만 사형에 처하고 그 밖의 경우는 사형을 면하게 하였다. 추심 제도를 통해 고대 통치자들은 사형의 집행에 신중했다.

---

45) 1840년까지 청나라 시기의 법률을 지칭한다.
46) 折絞監候라고 불리며, 청나라 시기 의문스러운 사건에 대해 바로 처벌하지 않고 추심이나 복심을 기다리는 것을 가리킨다.
47) 사사로운 人情이 얽힌 사실을 가리킨다.
48) 범죄의 위험성이 크지 않은 경우를 가리킨다.
49) 범죄자의 상황이 불쌍한 경우를 가리킨다.
50) 부모를 부양하거나 가문의 대를 잇고 제사를 이어야 하는 사형수에 대한 特赦를 가리킨다.

【출전】

◎ 舊制, 凡刑獄重犯, 自大逆, 大盜[51]決不待時外, 餘俱監候處決. 在京有熱審, 朝審之例, 每至霜降後方請旨處決. 在外直省亦有三司秋審之例, 未嘗一麗死刑, 輒棄于市.[52]

옛 제도에서 무릇 형옥刑獄 가운데 중범죄 중, 대역죄大逆罪으로부터 대도죄大盜罪까지는 때를 기다리지 않고 처형하는 것 이외에는 모두 감후監候[53]로 처결했다. 수도에서는 열심熱審[54]과 조심朝審[55]의 예가 있어 매년 상강霜降[56] 이후 성지聖旨를 구해 처결하였다. 그 외 각 성 또한 삼사三司가 추심을 하는 예가 있어 한 번만 재판하여 사형시킨 뒤 시신을 시장에 내버려 두는 일이 없었다.

해설: 옛 제도에서 대역죄와 대도죄에 대해 바로 사형을 집행했던 경우 외의 형옥 가운데 중범죄는 범죄자를 감금한 뒤에 처결을 기다리게 하였다. 수도에서는 열심과 조심의 예에 따라 황제가 상강 이후에 성지를 내려 범죄자를 처결했다. 각 지역 또한 삼사의 추심의 예에 따라 한 번만 재판한 뒤에 바로 사형을 집행하지 않았다.

---

51) 규모가 큰 도적이 저지른 죄나 나라를 찬탈하려는 죄를 가리킨다.
52) 趙爾巽 등,『淸史稿』,「刑法志 三」.
53) 사형을 선고하고 범인의 身柄을 감금한 뒤 집행명령을 기다리는 것을 가리킨다.
54) 청나라 시기에 小滿 10일 후부터 立秋 전날까지 하는 재판을 가리킨다.
55) 명·청 시기에 사형 안건에 대해 모여서 심리하는 제도이다.
56) 24절기 중 18번째 절기이다.

삼자지법三刺之法

죄를 심리하는 세 가지 방법

해설: 서주 시기 해결이 어려운 안건을 처리하는 법률 집행 과정이다. 이 과정에서 반드시 첫 번째로 여러 대신에게 물어보고, 두 번째로 여러 관리들에게 물어보고, 세 번째로 만민萬民에게 물어본 뒤에 모든 이들의 의견을 참고하여 죄의 경중과 처벌의 감경을 결정하였고, 이로써 오심을 방지하고자 하였다.

【출전】

◎ 以三刺斷庶民獄訟之中: 一曰訊群臣, 二曰訊群吏, 三曰訊萬民.[57]

서민의 소송을 세 차례 심리하여 재판하는 중에, 첫 번째로 여러 대신에게 묻고, 두 번째로 여러 관리들에게 묻고, 세 번째로 만민에게 물었다.

해설: 파견된 관리들은 3차례의 심문을 통해 서민들의 소송을 정확하고 착오 없이 판결하였다. 첫 번째로 여러 대신에게 물어보고, 두 번째로 여러 관리들에게 물어보고, 세 번째로 만민에게 물어보았다.

---

57) 『周禮』, 「秋官・小司寇」.

삼사추사三司推事

삼사三司가 옥사를 판결하다

해설: 당나라 시기 사법제도이다. 중대한 사안은 황제의 칙지에 따라 형부와 어사대御史臺 및 대리시의 관리들로 구성된 임시 법정을 열어 심리하였는데, 이를 '삼사추사'라고 불렀다. 이때, 심리를 위해 파견된 일반 관리들도 '삼사사三司使'라고 불렀다. 삼사추사를 통해 사법의 공정성을 제도적으로 보장하고자 했고, 후세에도 큰 영향을 미쳤는데, 명 · 청 시기 '삼법사회심三法司會審'은 이 제도에서 파생되었다.

【출전】

◎ 有大獄, 卽命中丞, 刑部侍郎, 大理卿鞫之, 謂之大三司使. 又以刑部員外郎, 御史, 大理寺官爲之, 以決疑獄, 謂之三司使.[58]

큰 옥사가 있으면 중승中丞(大中丞)과 형부시랑刑部侍郎 및 대리경大理卿이 국문하였는데, 이들을 가리켜 '삼사사三司使'라고 불렀다. 또한 형부의 원외랑員外郎, 어사御史, 대리시의 관리들도 '삼사사'라고 불렀는데 이들은 의혹이 큰 옥사를 판결하였다.

해설: 중대한 사건이 있으면 중승과 형부시랑 및 대리경[59]이 심리하도록

58) 王溥(1277~1349), 『唐會要』, 卷78.

했는데 이들을 '삼사사'라고 불렀다. 형부의 원외랑, 어사, 대리시의 관리들도 이 방식으로 의혹이 큰 사건을 판결했는데, 이들도 '삼사사'라고 불렀다.

---

59) 大理寺卿의 줄임말이다.

십악불사十惡不赦

용서할 수 없는 10가지 악

해설: 고대 중국의 법률 규정에 10가지 용서할 수 없는 중죄가 있는데, 이는 대역죄, 모반죄謀叛罪, 악역죄惡逆罪[60], 부도죄不道罪[61], 대불경죄大不敬罪[62], 불효죄, 불목죄不睦罪[63], 불의죄不義罪[64], 내란죄內亂罪이다. 「북제율北齊律」에서 처음으로 '중죄십조重罪十條'를 규정하였다. 수나라 시기 「개황률開皇律」에서는 '중죄십조'를 '십악十惡'으로 개칭하였고, 십악은 률에 정식으로 포함되었으며, 이는 유가의 예법과 도덕질서를 유지하기 위해서였다. '십악'이 률에 포함된 것은 뒤에 큰 영향을 끼쳐, 오늘날 중국인들도 극악무도하거나 용서해 줄 수 없는 일을 표현할 때 '십악불사'라고 한다.

【출전】

◎ 五刑之中, 十惡尤切. 虧損名教, 毁裂冠冕, 特標篇首, 以爲明誡. 其輸甚惡者, 事類有十, 故稱"十惡".[65]

---

60) 부모와 기타 존속을 폭행하거나 살인하는 죄를 가리킨다.
61) 3인 이상 살인한 거나 시신을 심하게 훼손한 죄를 가리킨다.
62) 종묘나 능의 제사에 쓰이는 물품이나 임금의 물품을 훔치거나, 임금의 도장을 훔치거나 위조하는 죄를 가리킨다.
63) 친족 사이에 화목하지 않은 죄를 가리킨다.
64) 낮은 계급이나 낮은 지위의 사람이 윗사람을 살인하는 죄를 가리킨다.

오형五刑[66] 중에 십악十惡을 더욱 중하게 여겼다. 명교名教를 손상시키고 관면冠冕(의 禮를) 훼손한 것은 특별히 (이) 편의 첫머리에 기록하여 확실하게 경계하도록 하였다. 그 가운데 심하게 악한 것을 사안별로 분류하면 10가지가 있는데, 옛날에 (이를) 십악이라고 불렀다.

해설: 오형 중에 십악의 죄를 중하게 여겼다. 이 죄는 사회의 명교를 손상시키고 사대부 계층의 예법을 훼손하므로 특별히 이 편의 첫머리에 이를 기록하여 확실하게 경계하였다. 크게 악한 죄에는 10가지 종류가 있는데, 이를 십악이라고 불렀다.

65) 長孫無忌·李勣 등,『唐律疏議』,「名例律」.
66) 다섯 가지 형벌로 태형·장형·도형·유형·사형을 가리킨다.

식式

식

해설: 고대 법률 형식으로 진나라 시기에 출현했다. 주요 내용은 국가기관이 일을 처리하는 과정과 원칙에 관한 규정이다. 진간秦簡[67] 내용 중 「봉진식封診式」 속에는 사건에 대한 조사와 검증 및 심문 등을 하는 과정, 법률 문서의 격식과 관련된 규정이 있다. 서한과 동한 및 위진남북조魏晉南北朝 시기에 '식'과 '격'을 엄격하게 구분하지 않았지만, 서위西魏(535~556) 대통大統 10년(544)에 「대통식大統式」을 반포하여 식이 주요 법률 형식임을 명시하였다. 수·당 시기에는 4가지 법률 형식이 있었는데, 그중 하나가 식이었다. 이 시기 식은 주로 상서성尙書省 내 24사司와 기타 부서에서 률과 령 및 격을 시행하는 과정에 각기 제정한 세칙細則과 공문公文의 격식을 가리킨다. 송나라 시기의 식은 관련된 법률제도 내에서 모범적인 법규로 평가되며, 본보기로 삼는 법규이기도 했다. 원· 명· 청나라 시기에 '식'의 지위는 하락하면서 이후의 법률 형식에서 식은 더 이상 주요 형식이 되지 못했다.

67) 진나라 시기의 죽간과 서적이다.

【출전】

◎ 式者. 其所常守之法也.[68]

식이란 항상 지켜야 하는 법이다.

해설: 식은 백관들과 관련 부서에서 항상 지켜야 하는 법이다.

68) 歐陽修·宋祁·曾公亮,『新唐書』,「刑法志」.

천인합일天人合一

하늘과 사람이 하나가 되다

해설: 일종의 하늘과 땅, 사람이 서로 연결되어 있다는 세계관과 사유 방식이다. 이 세계관은 하늘과 땅, 사람 사이의 통합성과 내재적인 관계, 인간사에서 하늘이 갖는 근원적인 의미를 강조했다. 그리고 이 사상은 사람과 하늘의 관계에서 생명과 질서, 가치와 같은 근본을 찾으려는 노력을 보여 준다. '천일합일'은 역사상 '천인동류天人同類'나 '천인동기天人同氣' 혹은 '천인동리天人同理'라고 불리기도 했다. 맹자는 마음의 성찰을 통해 성性과 하늘에 대해 깨닫게 되어 마음과 성 사이의 통합을 강조했다. 그래서 송유宋儒[69]는 천리天理와 인성人性, 인심人心 사이의 연결성에 관해 연구했다. 노자는 이와 달리 사람은 땅을 본받고, 땅은 하늘을 본받고, 하늘은 도를 본받는다고 주장하였다. 이렇게 하늘과 사람에 대해 학파마다 서로 다르게 이해함에 따라 천인합일은 서로 다른 의미로 해석되었다.

---

69) 程顥(1032~1085), 程頤(1033~1107), 朱熹(1130~1200) 등 송나라 시기의 유학자들을 가리킨다.

【출전】

◎ 以類合之, 天人一也.[70]

종류로써 이를 묶어 보면 하늘과 사람은 한 종류이다. 유사성으로 이를 결합하면 하늘과 사람은 하나이다.

해설: 유사성을 바탕으로 연결해 보면 하늘과 사람은 하나이다.

◎ 儒者則因明致誠, 因誠致明, 故天人合一, 致學而可以成聖, 得天而未始遺人.[71]

유학자는 명明으로 인해 성誠에 이르고 성으로 인해 명에 이르므로 하늘과 사람은 하나가 되기 때문에 학문을 다하면 가히 성인聖人이 될 수 있고 하늘에 이를 수 있으니 애초에 사람을 (그 누구도) 버려두지 않았다.

해설: 유학자가 인륜人倫을 살펴보아 천리의 성誠을 통달하고 천리의 성을 통달한 상태로 세상사를 이해했으므로 하늘과 사람은 하나가 되기 때문에 학문을 다하면 성인聖人이 될 수 있고 천리를 파악할 수 있으니, 누구나 인륜에 대해 통찰할 수 있다.

70) 董仲舒, 『春秋繁露』, 「陰陽義」.
71) 張載(1020~1077), 『正蒙』, 「乾稱」.

오복주五覆奏

5번 다시 주청하다[72]

해설: 당나라 때 사형 건에 대한 복심의 과정이다. 사형을 집행하기 전에 관리들은 황제에게 5번 상주하여 황제가 심사하고 비준하도록 청했다. 정관貞觀 5년(631)에 대리시승大理寺丞 장온고張蘊古(?~631)가 잘못 집행한 사형 건을 근거로 들어, 사형 건을 심사하고 비준하는 과정 중 3번 상주할 수 있는 규정을 5번으로 수정했고, 관리들이 사형 건에 대해 재차 상주하는 과정을 제대로 시행하지 않으면 엄벌을 받도록 규정하였다. 오복주五覆奏 제도를 통해 당나라 초기에 형벌 집행을 신중히 하고자 했다.

【출전】

◎ 自今已後, 宜二日中五覆奏, 下諸州三覆奏.[73]

지금 이후 마땅히 이틀 동안 5번 주청해야 하고, 아래로 여러 지방에서는 3번 주청해야 한다.

해설: 지금 이후 이틀 동안 5번 주청해야 하고, 아래로 각 주에서는 3번 주청해야 한다.

---

72) 사형 건에 대해 다섯 차례 심리하고 주청하여 재가를 청하는 일.

73) 劉昫·張昭遠·賈緯·趙熙 등, 『舊唐書』, 「刑法志」.

형刑

형

해설: 형刑에 두 가지 의미가 있다. 첫 번째 뜻은 형법이다. 하나라와 상나라 및 주나라의 법은 모두 형이라고 불렸다. 아울러 「우형禹刑」, 「탕형湯刑」, 「구형九刑」 등 옛 법률에서도 형은 법이라는 뜻이었다. 서주 시기 목왕穆王(재위기간: 기원전 963~기원전 908) 때 편찬된 「여형呂刑」에서도 형과 법은 통용되었다. 두 번째 뜻은 형벌과 처형 방식이다. 그 예로 「묵형墨刑」[74], 「의형劓刑」[75] 등이 있는데, 이는 처벌 방식의 뜻이다.

【출전】

◎ 夏有亂政而作「禹刑」, 商有亂政而作「湯刑」, 周有亂政而作「九刑」, 三辟之興, 皆叔世也.[76]

하나라에서는 정치가 혼란해지자 「우형」을 제정했고, 상나라에서는 정치가 혼란해지자 「탕형」을 제정했고, 주나라에서는 정치가 혼란해지자 「구형」을 제정했으니, 삼벽三辟[77]이 제정된

74) 죄인의 얼굴이나 팔에 죄명을 새겨 넣는 형벌이다.
75) 코를 베는 형벌이다.
76) 『左傳』, 昭公 6年.
77) 하·상·주 왕조의 형법을 가리킨다.

것은 모두 세상이 숙세叔世[78]임을 가리킨다.

해설: 하 왕조에서 법령을 위반하는 일이 발생하여 「우형」을 제정하였다. 상 왕조에서도 법령을 위반하는 일이 발생하여 「탕형」을 제정하였다. 또한 주 왕조에서도 법령을 위반하는 일이 발생하여 「구형」을 제정하였다. 이 3가지 형법이 제정된 것은 각 왕조가 쇠락하는 시기였기 때문이다.

78) 도덕 등이 쇠퇴하여 끝나가는 세상을 가리킨다.

형부刑部

형부

해설: 고대 중앙 사법기관의 명칭이자 6부 중 하나이며, 형사사건과 옥사를 담당했다. 수나라 개황開皇 3년(583)에 본래 상서성尙書省에 속해 있던 도관都官기관이 형부로 개편되었다. 당나라는 수나라의 제도를 이어받아, 형부에서 사법행정을 맡고 대리시, 주현州縣 등으로부터 보고 받은 도형 이상의 사건을 재심리했다. 송나라 때 이 부서를 계승했다. 원나라 때 대리시를 폐지하고 그 직권을 형부에 귀속시켰다. 명나라 때 대리시를 부활시켰으나 규정상 형부에서 재판을 담당했고, 대리시는 재심리를 담당했다. 청나라는 명나라 제도를 이어받았으며, 1906년 형부는 법부法部로 개칭되었고, 전국의 사법행정 업무를 담당하되 재판의 기능은 없었다.

【출전】

◎ 刑部 掌刑法, 獄訟, 奏讞, 赦宥, 敍復之事.79)

형부는 형법, 옥송, 옥사를 평의評議하고 상주하는 일, 죄인을 특별 사면하는 일, 파직罷職되거나 면직免職된 사람을 등용하거나 복직시키는 일을 관장한다.

---

79) 脫脫(1314~1355) 등, 『宋史』, 「職官志 三」.

해설: 형부는 형법, 소송, 감옥과 관련된 일을 조정에 보고하여 황제의 재가를 요청하는 일, 사면하는 일, 죄를 지은 관리를 다시 등용하는 일을 주관한다.

형명막우刑名幕友

형벌과 관련된 일에 정통한 막우幕友[80]

해설: 형명막리刑名幕吏라고도 불렀는데, 이들은 관청 내에서 법률 지식에 정통한 막료幕僚로 속칭 '사야師爺'라고도 불렀다. 명·청 시기 각급 관원들은 번잡한 정무政務로 인해 압박을 받거나 서리書吏 혹은 서리胥吏로부터 항의를 받기도 했다. 이를 감안하여 관원들은 개인적으로 법률 지식이 많거나 행정 능력을 갖춘 사람들을 고용하여 사건을 판결하거나 분쟁을 해결하기 위한 자문을 구했다. 여기에서 형명막우가 기원했다. 이렇듯 형명막우는 명·청 시기 지방 사법이 시행되는 과정에서 실질적으로 행정을 맡은 사람들이다.

【출전】

◎ 這人來了, 就到督署去求見那位刑名師爺.[81]

이 사람이 오자 바로 총리아문으로 가서 저 형명사야刑名師爺에게 자문을 구했다.

---

80) 막우는 지방 장관이 사적으로 고용한 고문 혹은 비서를 가리킨다.
81) 吳趼人(1866~1910), 『二十年目睹之怪現狀』, 第7回.

휼형恤刑

죄인을 불쌍히 여기다

해설: 사법관은 범죄자를 처벌하기 전에 가엽게 여기는 마음이 있어야 한다. 휼형恤刑의 대상은 주로 홀아비와 과부, 노인과 어린아이, 부인과 장애인 등 사회 약자 집단들이었다. 역대 왕조는 사유赦宥(특별사면)나 여수慮囚(천재지변 시 사면), 복주覆奏(거듭 주청하기) 등의 제도를 시행하여 휼형사상恤刑思想을 실현했다. 명·청 시기에는 중앙에서 휼형을 담당하는 관원들을 각 지방에 파견하여 수감자들을 살피고 오판誤判한 사건을 처리하는 제도를 만들었다. 이렇게 관리는 가여운 범인을 담당하게 되면 처벌 수위를 감경하거나 처벌을 면할 수 있도록 했다. 이렇듯 휼형을 통해 중국 고대의 민본사상을 드러냈다.

【출전】

◎ 欽哉, 欽哉, 惟刑之恤哉![82]

신중할지어다, 신중할지어다, 형벌을 내림에 긍휼할지어다!

해설: 신중하라, 신중하라, 형벌에 신중해야 하리!

---

82) 『尙書』, 「舜典」.

이사별감移司別勘

부서를 이관移關하여 재심하다

해설: 고대 소송제도이다. 이사별감移司別勘에 따라 관리들은 무고한 죄수가 발생한 안건을 맡게 되었을 때 원심을 담당했던 기관에서 다른 부서로 안건을 이관했다. 이 제도는 오대 시기에 기원했고, 송나라 시기에 발전했다. 북송北宋 전기에 범인을 심문하고 사건의 경위를 기록한 후에 이 제도를 적용했다. 송나라 철종哲宗(재위기간: 1085~1100)은 범인을 심문하고 사건의 경위를 기록하기 전에 이 제도를 적용하게 했다. 이사별감은 '번이별감翻異別勘'의 일종으로 오심 사건을 방지하는 데 효과적이었다.

【출전】

◎ 凡有推鞫囚獄, 案成後, 逐處委觀察, 防禦, 團練, 軍事判官[83), 引所勘囚人面前錄問, 如有異同, 卽移司別勘.[84)

무릇 (관리가) 추국推鞫해서 범죄자를 감옥에 보내고 안건이 종결된 후에도 (문제가 발생하면) 이어서 다시 관찰사觀察使나 방어사防禦使, 단련사團練使, 군사판관軍事判官 등에게 맡겨 처리하

---

83) 당나라 현종 때 만들어진 관직으로 명종 때는 '參軍'이라고도 불렸다. 송나라 때 지방의 군사와 관련된 일과 행정 일을 보조하도록 각 지방에 군사판관을 배치했다.

84) 『宋刑統』, 卷27.

게 했는데, (전자와 후자가 각각) 죄수의 면전에서 문초問招하여 사건의 경위를 기록한 바를 가져왔을 때, 만일 (양쪽 기록 사이에) 차이가 있으면, 이 사건은 담당 부서를 이관하여 재심했다.

해설: 안건을 재판해서 종결한 후에도 문제가 발생하면 각지의 관찰사나 방어사, 단련사, 군사판관 등이 죄수들을 다시 문초하고 사건의 경위를 기록했다. 그런데 죄인들이 자백을 뒤집거나 불복하고 억울해하면 원심을 담당했던 기구에서 다른 부서로 이 일을 이관하여 재심했다.

어사대御史臺

어사대

해설: 고대 중국의 주요 감찰기관이다. 서한 시기에는 이미 어사부御史府가 존재했으며, 동한 시기에는 어사대御史臺를 세워 전문적으로 감찰 기능을 맡게 했다. 위진남북조 시기에 이 제도를 계승하였다. 수·당 시기 어사대는 중앙의 최고 감찰기관이 되었고, 주요 업무는 행정과 사법의 집행 과정에서 발생할 수 있는 실수를 살피는 것이며, 이 기관에서 백관들을 감독하고 법도를 정비했다. 홍무洪武 15년(1382)에 어사대는 도찰원都察院으로 개칭되었다. 청나라는 명나라의 제도를 이어받았다. 한편, 어사대 또한 다른 사법기관과 함께 사법재판에 참여했다.

【출전】

◎ 御史大夫之職, 掌邦國刑憲, 典章之政令, 以肅正朝列. 中丞爲之貳.[85]

어사대부의 직책은 국가의 형법이나 제도, 문물과 관련된 법령을 관장함으로써 조정의 질서를 엄정하게 바로잡는 것이다. 중승中丞은 그다음 자리이다.

---

85) 唐玄宗, 『唐六典』, 「御史大夫」.

해설: 어사대부의 직책은 국가의 형법과 헌정제도憲政制度 및 각종 제도, 문물과 관련된 법령을 관장하여 엄정하게 조정의 기강을 바로잡는 것이다. 중승은 어사대부의 보좌역이다.

약법삼장約法三章

3개의 법 조항만으로 통치할 것을 약속하다

해설: 유방劉邦(한나라 高祖, 재위기간: 기원전 202~기원전 195)이 함양咸陽에 입성入城한 뒤 반포한 법령으로, 살인과 상해傷害 및 절도에 대해서는 이에 상응하는 처벌을 했지만, 기타 범죄는 처벌하지 않았다. 이를 역사상에서 '약법삼장約法三章'이라 불렀다. 유방은 이 법으로 진나라의 가혹한 법의 폐단을 없애 백성들이 크게 기뻐했다. 약법삼장은 유방이 한漢 왕조를 세우는 기반이 되었는데, 지금은 일반 사람들 사이에 간단하고 이행하기 쉬운 약속을 가리키는 것으로, 약속한 사람들은 반드시 이 약속을 지켜야 한다.

【출전】

◎ 與父老[86]約, 法三章耳. 殺人者死, 傷人及盜抵罪.[87]

(유방은) 부로父老와 3개의 법 조항만으로 통치할 것을 약속했다. 곧, 살인을 한 자는 사형에 처하고, 사람을 다치게 하거나 절도죄를 범하면 그 경중에 따라 처벌한다.

해설: 유방은 부로와 삼장三章의 법만 약속했다. 곧, 살인을 한 자는 사형

86) 진·한 시기 취락의 대표자를 가리킨다.
87) 司馬遷, 『史記』, 「高祖本紀」.

에 처하고, 사람을 다치게 하거나 절도죄를 범하면 그 경중에 따라 처벌한다.

주공제례周公制禮

주공이 예법禮法을 제정하다

해설: 주나라 초기의 주요 입법 방식이다. 주공 희단姬旦(?~?)의 주관 아래 주족周族의 관습법慣習法을 기초로 하고 이전 시기의 예의禮儀 제도를 추가하여 일련의 문물과 제도를 정비했다. 이 제도는 국가의 통치와 사회생활, 행위규범 등 여러 방면에 적용되었다. 주공의 법률사상은 후대의 유가사상에 많은 영향을 주었다. 공자의 법률사상은 이로부터 비롯되었다. '주공제례周公制禮'는 중국 전통 법제사에서 중요한 사건 중 하나이다.

【출전】

◎ 先君周公制『周禮』曰, "則以觀德, 德以處事, 事以度功, 功以食民."88)

선대 왕이신 주공께서 제정한 『주례周禮』에서 말하길, "법칙으로 덕을 관찰하고, 덕으로 일을 처리하고, 일로 공을 헤아리고, 공으로 백성을 먹인다"고 하였다.

해설: 선대 왕이신 주공께서 제정한 『주례』에서 다음과 같이 말했다. "예의 규정을 근거로 사람의 덕행을 관찰하고, 덕행의 좋고 나쁨으로

88) 『左傳』, 文公 18年.

일의 시비를 헤아리고, 일의 시비에 따라 공적의 크고 작음을 판단하고, 공적의 크고 작음에 따라 백성에게 분배해 줄 양을 정한다."

준오복이제죄准五服以制罪

오복제도五服制度를 통해 범죄를 통제하다

해설: 오복제도는 유가에서 제정한 5등급의 복상제도服喪制度로, 이 제도를 통해 친족 간 범죄의 처벌 수위를 결정했다. 오복제도는 친족과 사망자 사이의 관계에서 친소親疏와 존비尊卑의 정도를 고려하여 5가지 상복을 구분해서 입는 것이다. '준오복이제죄准五服以制罪'에 따르면 존귀한 사람이 비천한 사람에게 죄를 범할 경우 관계가 가까울수록 처벌이 경감되고 관계가 멀수록 처벌이 가중된다. 반면, 비천한 사람이 존귀한 사람에게 죄를 범할 경우 이와 반대로 처벌했다. 서진西晉 시기(265~316)의 「태시율泰始律」에 최초로 유가의 복상제도를 법전에 실어 죄를 판단하고 형량을 정하는 원칙으로 삼았다. 이 원칙은 이후 역대 왕조에서도 계승되었으며, 이 원칙에는 중국 전통의 법률 속 예법합일禮法合一의 특징이 잘 나타난다.

【출전】

◎ 峻禮教之防, 准五服以制罪也.[89]

예교禮教를 통한 방지를 엄격히 하여 오복제도를 통해 범죄를 통제했다.

해설: 예교를 통한 방지를 엄격히 하여 오복제도를 통해 범죄를 통제했다.

89) 房玄齡(578~648) · 李延壽(?~?) 등, 『晉書』, 「刑法志」.

제3편

법률문화

法律文化

등문고登聞鼓

신문고申聞鼓

해설: 고대 통치자가 간언諫言이나 백성의 원통한 일을 듣기 위해 조당朝堂 밖에 걸어 둔 북이다. 동한 시기 낙양洛陽에 등문고登聞鼓를 설치하였는데 이는 북위 시기까지 이어졌다. 북위 시기 이후 등문고는 백성들이 통치자에게 억울함을 호소하는 방법이었으므로, 수·당 시기에 등문고 제도를 법으로 제정했고, 이는 통치자에게 직접 호소하는 방법 중 하나가 되었다. 등문고 제도는 송나라 시기에 완비되었다. 송나라는 등문원登聞院과 고사鼓司[1] 등 이와 관련된 전문적인 기구를 설치하여 사무를 전담하도록 했다. 이후 원나라와 명나라 및 청나라에서도 이 제도를 중요하게 여겼다. 등문고 제도는 민간의 사정을 들을 수 있는 주요 경로 중 하나가 되었다. 이렇듯 '북을 치며 원통함을 호소하는 제도'는 중국의 독특한 문화였다.

【출전】

◎ 卽邀車駕及撾登聞鼓, 若上表訴, 而主司不卽受者, 加罪一等.[2]

---

1) 등문고를 통해 提訴하는 일을 관장하는 부서이다.
2) 長孫無忌·李勣 등, 『唐律疏議』, 「斗訟律」.

(백성들이) 차가車駕[3]를 맞이하여 등문고를 치거나, (황제에게) 표를 올려 호소함에도 주사主司가 이를 바로 받아주지 않을 것 같으면 죄를 한 등급 더한다.

해설: 만일 백성들이 차가를 맞이하여 등문고를 치거나 황제에게 표를 올려 상고上告했는데도 관련 일을 맡은 관리들이 이를 접수하지 않으면, 이들에 대한 처벌의 수위를 한 등급 더 올렸다.

3) 天子의 수레를 가리킨다.

『법경法經』

법경

해설: 『법경法經』은 전국시대 위魏나라의 이회李悝(기원전 455~기원전 395)가 춘추시대 이래 각 제후국의 법을 기초로 하여 편찬한 법전이다. 이것은 중국 역사상 최초의 비교적 체계적인 성문법전이다. 『법경』은 「도盜」, 「적賊」, 「수囚」, 「포捕」, 「잡雜」, 「구具」 6편으로 구성되어 있으며, 이 법전을 통해 기존의 단행법單行法[4]을 기본으로 한 입법 형태를 버리고 같은 죄질의 범죄에 대해 같은 수준으로 처벌하는 '이죄통형以罪統刑'의 원칙을 확립했다. 후세의 법전은 모두 『법경』을 기초로 하여 발전했기 때문에 『법경』은 중국 고대 법제사의 발전에서 큰 의미가 있다.

【출전】

◎ 是時承用秦漢舊律, 其文起自魏文侯師李悝. 悝撰次諸國法, 著『法經』.[5]

이때 진나라와 한나라의 옛 율령을 이어받았는데, 그 초안은 위문후魏文候의 사부師傅인 이회李悝로부터 시작되었다. 이회는

4) 특수한 상황이 발생했을 때 이를 해결하기 위해 제정한 특별법이다.

5) 房玄齡 · 李延壽, 『晉書』, 「刑法志」.

여러 국가의 법을 선별하여 『법경』을 저술했다.

해설: 당시 진나라와 한나라의 옛 율령을 활용했는데, 위문후의 선생인 이회가 형률 문건의 초안을 만들었다. 이회는 각국의 형법 조항을 선별해서 『법경』을 저술했다.

비방목誹謗木

비방목

해설: 비방목誹謗木은 도로에 오가는 사람들이 간언을 새길 수 있도록 세워 놓은 나무 기둥이다. 순임금은 조정 밖에 나무 기둥 하나를 세워 놓고 여기에 백성의 의견을 새겨 넣게 했다. 이후 큰길 입구에 비방목을 세우고 여기에 횡목橫木을 얹어서 역驛을 표시하거나 도로를 식별하는 표지로 쓰였는데, 이 때문에 '화표목華表木' 혹은 '단목檀木'이라고도 불렸다. 이후 화표목은 간언의 기능이 점점 사라지고 황실 건축에서만 볼 수 있는 표지판 용도의 건축물이 되었다.

【출전】

◎ 堯置敢諫之鼓, 舜立誹謗之木.[6)]

요堯임금은 간언하는 (용도의) 북을 설치하였고, 순舜임금은 비방誹謗하는 (용도의) 나무를 세웠다.

해설: 요임금은 간언하는 용도의 북을 설치했고, 순임금은 의견을 적을 수 있는 비방목을 세웠다.

---

6) 劉安(?~기원전 122), 『淮南子』, 「主術訓」.

부패符牌

신표信標로 사용되는 여러 종류의 패牌

해설: 부패符牌는 조정에서 사자使者를 파견할 때 지니게 하는 신표信標로, 각급 관원들의 신분을 증명했다. 고대 부패의 종류는 많았다. 부패의 기능에 따라 종류를 나누었는데 그 종류에는 직위의 등급을 구별해 주는 요패腰牌, 군대를 지휘할 때 쓰는 병부兵符, 황성의 치안을 지키는 용도로 쓰이는 문부門符, 정보를 전달하는 용도로 쓰이는 신패信牌, 교통을 관리하는 용도로 쓰이는 역부驛符 등이 있다. 부패는 고대에 국가를 통치하는 데 있어 중요한 역할을 한 물품이면서, 엄격하고 효율적으로 시행되는 제도를 상징하는 물품이기도 하다.

【출전】

◎ 洪武四年五月, 造用寶金符及調發走馬符牌. 用寶符爲小金牌二, 中書省, 大都督府各藏其一. 有詔發兵, 省, 府以牌入, 內府出寶用之. 走馬符牌, 鐵爲之, 共四十, 金字, 銀字者各半, 藏之內府, 有急務調發, 使者佩以行.7)

---

7) 龍文彬(1821~1893), 『明會要』, 「輿服下」.

홍무洪武 4년(1371) 5월 용보금패用寶金牌[8])를 제작하여 말을 징발하는 부패로 지급했다. 용보부패는 금속으로 된 작은 2개의 부패로 제작되어 중서성과 대도독부大都督府에서 각각 1개씩 보관했다. 조서詔書로 군대를 동원할 때 각 성과 부府에서는 패牌로 입장시켰고, 내부內府에서는 나갈 때 보寶를 사용했다. 주마부패走馬符牌[9])는 철로 만들었으며, 모두 40개로 그중 (한쪽이) 금으로 된 부패와 은으로 된 부패가 각각 20개씩이었고 내부에서 이를 보관했으며, 급한 일이 있어 징발할 때 사자가 이를 차고 다녔다.

해설: 홍무 4년(1371) 5월 용보금패를 제작하여 군마를 징발하는 용도의 부패로 지급했다. 용보부패는 금속으로 2개를 제작했고, 중서성과 대도독부에 각각 한 개씩 두었다. 조칙으로 군대를 동원할 때 중서성과 대도독부에서 용보와 부를 내부로 들어갈 때나 신표信標의 용도로 사용했다. 주마부패는 철로 40개를 제작했는데 그중 한쪽이 금으로 된 부패와 은으로 된 부패를 각각 20개씩 제작하여 내부에 보관했다. 급한 일로 관원들을 파견할 때 사자는 주마부패를 신표로 사용했다.

8) 황제의 옥새가 찍힌 금속 符牌를 가리킨다.
9) 부패는 진위 여부를 가리기 위해 양면으로 제작하였는데, 한 면은 금이나 은으로 제작되었고, 또 한 면은 철로 제작되었다.

고장告狀 · 소장訴狀

기소장起訴狀과 반소장反訴狀

해설: '고장告狀'과 '소장訴狀'은 고대 중국의 소송사건에 관해 설명하는 서장書狀으로, '장자狀子'라고도 불렀다. 고장告狀은 '고사告詞'라고도 하며, 원고原告의 기소장起訴狀과 비슷하다. 소장訴狀은 '소사訴詞'라고도 하며, 피고被告의 반소장反訴狀과 비슷하다. 오늘날 기소장과 반소장 등 법률문서의 명칭은 여기에서 기원했다. 지금의 기소장은 일찍이 법률용어를 넘어 일상언어가 되었다.

【출전】

◎ 諸鞫獄者, 皆須依所告狀鞫之. 若于本狀之外, 別求他罪者, 以故入人罪論.10)

여러 옥사를 국문하는 자는 모두 반드시 기소장起訴狀에 의거해서 국문해야 한다. 만약 본 고장(에 기록된) 이외의 다른 죄를 별도로 추궁해야 할 것 같으면 (충분한) 까닭(을 근거로 그) 사람의 죄를 (추가로) 논하기 시작해야 한다.

해설: 무릇 소송사건에서의 심문은 모두 반드시 기소장에 따라 범인을 심문해야 한다. 고소당한 원래의 죄목 이외의 다른 범죄를 추가적

10) 長孫無忌 · 李勣 등, 『唐律疏議』, 「斷獄」.

으로 추궁해야 할 경우는 충분한 근거를 바탕으로 죄를 논해야 한다.

공안소설公案小說

공안소설

해설: 송나라 때 널리 퍼진 문학작품에는 제목에 공안公案이라는 단어가 들어간 것들이 있다. 명·청 시기에 이르러 이러한 문학작품은 더욱 발전했다. 좁은 의미의 공안소설은 명나라 말기에 집중적으로 출현하였으며, 제목에 공안이라는 말이 들어간 단편소설집을 의미한다. 대표적인 작품으로 『염명공안廉明公案』 등이 있으며, 이 속의 내용에는 이전 시기의 법률문서나 사건의 사례들이 들어가 있다. 넓은 의미의 공안소설은 비록 제목에 공안이라는 단어가 있든 없든 법률문서와 관련된 내용이 들어간 소설 작품의 전반을 의미한다. 청나라 때 넓은 의미의 공안소설과 좁은 의미의 공안소설의 특징이 합해진 『삼협오의三俠五義』와 『시공안施公案』 등의 작품이 출현했다. 이와 같은 장편 작품은 문학성이 높으며, 민간에도 큰 영향을 끼쳤다. 공안소설은 억울한 사건을 주요 내용으로 삼고 있으며, 청백리淸白吏를 칭찬하는 내용이 많아 소설 속 청백리는 늘 천리天理를 대표하는 역할을 맡았다.

【출전】

◎ 余携歸閱之, 笑曰: "此『龍圖公案』耳, 何足辱鄭盦之一盼乎?"

及閱至終篇, 見其事迹新奇, 筆意酣恣, 描寫旣細入豪芒, 點染又曲中筋節.……閑中着色, 精神百倍. 如此筆墨, 方許作平話小說, 如此平話小說, 方算得天地間另是一種筆墨.[11]

> 나는 이 책을 가지고 돌아와 훑어 본 뒤 웃으며, "이것은 『용도공안龍圖公案』[12]일 뿐으로 어찌 정암鄭盦의 눈 찌푸림을 거스를 수 있겠는가?"라고 말했다. (그런데) 마지막 편까지 읽고 나니, 그 (책 속의) 사건은 새로우며 기이하고, 작가의 의도는 흥미진진하고, 묘사는 아주 세세하면서도 호방하고, 수식 또한 요점을 콕콕 짚었음을 발견했다.…… (소설의) 빈 부분에 색채를 입혔고, 정신은 백배百倍로 늘렸다. 이와 같은 작품은 비로소 백화소설로 인정되었고, 이와 같은 백화소설은 비로소 세상에서 또 하나의 문학 장르로 분류되었다.

해설: 나는 이 책을 가지고 돌아와 훑어 본 뒤 웃으며, "이것은 『용도공안』일 뿐으로, 어찌 정암[13]이 칭찬할 만하겠느냐?"라고 말했다. 그러나 이 책을 다 읽은 후에 나는 이 책에 적힌 사건이 새로우며 기이하고, 문장은 호쾌하며 통쾌하였고, 묘사는 세밀하며 치밀했고, 수식은 요점을 짚었음을 발견하였다.…… 생각지 못한 부분의 문장을 다듬어서 이 책의 내용을 풍부하고 다채롭게 했다. 이러한 작품은 백화소설로 인정되었고, 이러한 백화소설은 또 다른 문학 장르의 창작소설로 분류되었다.

---

11) 兪樾(1821~1906), 『重編「七俠五義傳」序』.

12) 북송 시기 재판관인 包拯(999~1062)의 이야기를 기록한 책이다.

13) 潘祖蔭(1830~1890)을 가리키며, 정암은 그의 호이다.

관련官聯

관련

해설: 관련은 고대의 관원들이 관서官署와 아문衙門에 써 놓은 대련對聯[14] 이다. 이것은 송나라 때 시작되었고, 명·청 시기에 점차 발전되었다. 관원들은 대련을 관서와 아문에 걸어 두어 강령綱領을 공지하고 정책을 시행하였으며 백성에게 고지하였다. 이를 통해 관리들은 자신의 통치 방식과 의제議題 및 품은 생각을 공개적으로 밝혔다.

【출전】

◎ 公生明, 廉生威.[15]

공정하면 밝은 지혜가 생겨나고, 청렴하면 위엄이 생겨난다.

해설: 공정하면 엄격함이 생겨나고, 청렴하면 위엄이 생겨난다.

---

14) 한 쌍의 글귀를 기둥이나 천 등에 써 놓은 것을 가리킨다.

15) 郭允禮(?~?), 『官箴』.

관청법정官淸法正

관리가 청렴하면 법을 공정하게 집행할 수 있다

해설: 관리가 청렴결백하면 법을 공정하게 집행할 수 있다. 중국 고대의 문학 작품 속에 이러한 생각이 반영되어 있는데, 예를 들어 원나라 때 이행도李行道(?~?)가 지은 잡극雜劇[16] 「회란기灰蘭記」에 이 부분이 나타나 있다. 이 작품 속에서 마원외馬員外의 처와 조령사趙令史가 공모公募하여 마원외의 첩인 장해당張海棠이 남편을 살해했다고 무고誣告했으며, 해당의 아들을 빼앗았다. 이 사건을 심리한 포증(999~1062)은 진상을 조사했고, 아이를 해당에게 돌려주도록 판결했다. 포증은 '관청법정官淸法正'의 본보기에 해당되는 인물이었다. 따라서 관청법정은 현실에서 공정하고 청렴결백한 관리가 있기를 바라는 백성들의 기대를 반영한 것이다.

【출전】

◎ 我這衙門裏問事, 眞介官淸法正, 件件依條律的.[17]

내가 이 아문에서 일을 맡을 때, 진실로 관리가 청렴하면 법을 공정하게 집행할 수 있으므로 사건마다 법률에 따라 처리할

16) 송나라 시기 諧謔적인 내용을 담고 있는 극문학으로, 원나라 시기에 戱曲으로 발전했다.

17) 李行道(?~?), 『灰蘭記』, 第二折.

수 있다.

해설: 내가 이 아문에서 일을 맡을 때, 관리들이 청렴하면 법률을 엄격하고 공정하게 집행할 수 있으며 사건마다 법률에 따라 처리할 수 있다.

규구規矩

규구

해설: '규구規矩'는 일정한 표준과 법칙 및 관습을 가리킨다. '규規'와 '구矩'는 원래 각각 원형과 사각형 모양을 그릴 때 쓰는 도구로, 이러한 용도로부터 표준이나 법칙, 관습 등의 의미가 파생되었다. 『맹자』의 '규구를 활용하지 않고서는 사각형과 원형을 그릴 수 없다'라는 문구는 오늘날에도 사람들이 바르고 정직하게 행동하고 규범을 준수하도록 훈계하는 유명한 구절이다. 이에 따라 중국인들은 법률이 국가 통치의 가장 중요한 규구라고 생각했다.

【출전】

◎ 孟子曰: "離婁之明, 公輸子之巧, 不以規矩, 不能成方圓."[18]

맹자는 "이루離婁의 밝음과 공수자公輸子의 기교도 규구를 활용하지 않고서는 사각형과 원형을 그릴 수 없다"라고 말하였다.

해설: 맹자는 "아무리 이루가 시력이 좋고 공수반公輸般[19]이 정교하다 해도, 만일 양규兩規[20]와 곡척曲尺[21]을 사용하지 않는다면 사각형과 원형을 그릴 수 없다"고 말하였다.

18) 『孟子』, 「離婁上」.
19) 公輸子의 이름이다.
20) 컴퍼스이다.
21) 'ㄱ'자 모양의 자이다.

호부虎符

호랑이 모양으로 만든 부

해설: 부符는 고대 제왕들이 신하들에게 군대를 파견할 때 쓰도록 내려 준 신표였다. 호랑이 모양이면 호부虎符라고 하였다. 호부는 좌우로 쪼개지며, 조정에서 오른쪽 조각을 보관하고, 장수가 왼쪽 조각을 가져갔다. 군대를 파견할 때 조정에서 보낸 사신들은 호부의 좌우가 맞는지 대조하고 확인한 뒤에야 군대를 출병시켰다. 호부의 활용은 전국시대에 성행했으며, 진·한 시기부터 수나라 시기까지도 계속 쓰였고, 당나라 때 호虎자를 피휘避諱함에 따라 어부魚符로 바꾸었다. 남송 때 다시 호부를 사용하였고, 이후 영패令牌로 바뀌었다. 이러한 용도와 변천사를 통해 호부는 중국 역사에서 황제의 권력을 상징했다.

【출전】

◎ 公子誠一開口請如姬，如姬必許諾，則得虎符奪晉鄙軍.[22]

공자公子 성誠이 한번 입을 열어 여희如姬에게 청하고, 여희가 (이를) 반드시 수락할 것 같으면 호부를 얻어 진비晉鄙의 군대를 빼앗을 수 있다.

---

22) 司馬遷,『史記』,「魏公子列傳」.

해설: 만약 공자 성이 위魏나라 왕의 총희寵姬인 여희에게 도움을 청하고 여희가 이에 대해 수락한다면, 호부를 훔쳐 위나라 장군 진비(?~기원전 257)의 군대를 빼앗을 수 있다.

계석방戒石坊

계석방

해설: 관리들이 청렴하고 백성을 사랑하도록 훈계하기 위해 아문의 대당 앞에 세운 돌로 된 아치형 구조물이다. 북송 초기에 황제는 각 부의 아문 내 공당公堂[23] 앞에 석비를 세우게 했고, 그 비석에 '너희의 녹봉은 백성들의 기름이다. 아래로 백성들에게 모질게 하기는 쉽지만 위로 하늘을 속이기는 어렵다'(爾俸爾祿, 民膏民脂, 下民易虐, 上天難欺)라는 16자를 새겼는데, 이 구문의 뜻을 통해 관리들이 청렴하게 공직에 임하도록 했다. 역대 왕조에서도 이러한 뜻을 이어 갔으며, 이후에는 석비 대신 석비방石碑坊을 세웠다. 계석방은 고대 중국의 청렴한 정치를 지향하고자 하는 뜻을 표현한 건축물이다.

【출전】

◎ 左右有東西角門, 再進爲戒石坊, 爲經國堂, 堂前有月臺.[24]

좌우에 동각문東角門과 서각문西角門이 있고, 더 (앞으로) 들어가면 계석방과 경국당經國堂이 있고, 당 앞에 월대가 있다.

해설: 좌우 양쪽에 동각문과 서각문이 있고, 더 앞으로 가면 계석방과 경국당이 있고, 경국당의 앞에 월대가 있다.

---

23) 공무를 보는 장소를 가리킨다.

24) 蘇昌臣(?~?), 『河東鹽政彙纂』, 卷2.

진선정進善旌

진선정[25]

해설: 상고上古 시기에 간언과 유익한 말을 하는 사람들을 위해 세운 일종의 상징성이 있는 깃발이다. 『대대예기大戴禮記』와 『회남자淮南子』 등 옛 서적에 이와 관련된 기록이 있다. 요임금이 처음으로 진선정進善旌을 세웠고, 이를 통해 사람들이 정무에 대해 건의나 비판을 할 수 있게 장려했다. 진선정을 통해 통치자는 관원들과 백성들의 의견을 다양하게 들어보고 정책의 오류를 피하고자 했다.

【출전】

◎ 古之治天下, 朝有進善之旌, 誹謗之木, 所以通治道而來諫者.[26]

옛날 천하를 다스릴 때 조정에 진선정進善旌과 비방목誹謗木이 있었기 때문에 통치의 도가 통하고 간하는 사람들이 찾아왔다.

해설: 고대에 천하를 통치할 때 조정에 유익한 말을 진언하는 용도의 정기旌旗와 조정의 통치를 비판하는 용도의 나무 기둥을 세웠는데, 이는 통치의 도를 통하게 하고 간하는 사람들이 찾아오게 하기 위해서였다.

---

25) 길에 정기를 세워서 이 깃발 밑에서 교훈이 되는 말을 할 수 있도록 하였다.
26) 司馬遷, 『史記』, 「孝文本紀」.

경당목驚堂木

경당목

해설: 고대 중국에서 관원들이 사건을 심리하는 중에 탁자를 두드린 것은 심문받는 용의자를 두려워하게 하고 재판 내 질서를 유지하기 위해서였다. 이때, 직사각형의 작은 나무토막을 사용했는데, 이 나무토막의 기능은 오늘날 판사봉의 기능과 비슷하다. 경당목은 일찍이 춘추전국시대에 사용되기 시작하여 청나라 이후에 점점 사라졌다. 경당목은 아문의 사법적 권위를 드러내는 기물이었으므로 소설과 희곡 안에서도 사법의 권위를 상징했다.

【출전】

◎ 只見包公把驚堂木一拍, 一聲斷喝.[27]

문득 보니 포공이 경당목을 한번 내리치면서 호통을 쳤다.

27) 石玉昆(?~?), 『三俠五義』, 第5回.

령첨令簽

령첨

해설: 아문에서 사건을 심리하는 중에 수령이 부하에게 명령을 내릴 때 쓰는 첨패簽牌이다. 청나라 때 아문 내 책상에 2개의 첨통籤筒을 두고 이 첨통에 홍두弘頭(火籤이라고도 부른다.)와 녹두綠頭(籤票라고도 부른다.)를 구분해서 넣었다. 전자는 형벌을 내리는 용도의 첨籤이고 후자는 체포하는 용도의 첨이다. 본래 령첨令簽은 나무 조각으로 만들었으며, 첨통에 넣어 놨다가 수령이 명령을 내릴 때 령첨을 뽑아서 아래로 던졌다. 이후 령첨은 종이로 된 첨표로 바뀌었다. 아문의 수령은 령첨을 던져서 법정의 위엄을 드러냈고, 또한 이를 통해 판결의 결과를 엄격하게 집행하고자 했다. 고대사회에서 령첨은 사법을 집행하는 과정에서 반드시 있어야 하는 기물이었고, 사법의 권위를 상징하였다. 령첨은 고대 소설에서 자주 등장하는 기물로, 백성들이 재판의 과정을 이해하도록 돕는 기물 중 하나가 되었다.

【출전】

◎ 祁太令立即拈了一枝火籤, 差原差立拿鳳鳴岐, 當堂回話.[28]

---

28) 吳敬梓(1701~1754), 『儒林外史』, 第51回.

기祁 태령太令은 바로 화첨을 집어 들고 관원을 보내 봉명기鳳鳴岐를 잡아와 당에 세워서 회답하게 했다.

해설: 기 태령은 바로 화첨을 집어 들고 법정에서 대답하도록 만들기 위해 봉명기를 잡아 왔다.

명경고현明鏡高懸

밝은 거울이 높이 걸려 있다

해설: 고대 아문의 법정에 걸어 놓은 편액의 글귀이다. 옛사람들은 '명경고현明鏡高懸'이라는 글귀를 통해 관원들이 판결을 내릴 때 공정해야 함을 나타냈다. 진晉나라 시기 갈홍葛洪(281~341)의 『서경잡기西京雜記』 권3의 기록을 보면, 진시황에게 사람의 마음 속 선악을 볼 수 있는 거울이 있다고 전한다. 후대 사람들은 이 진경고현秦鏡高懸을 관원들이 사건의 시비是非를 잘 살피는 모습에 비유했다. 이후 민간의 희곡 작품에서 이것이 각색되면서 진경고현은 점점 명경고현으로 알려지게 되었다.

【출전】

◎ 只除非天見憐, 奈天天又遠, 今日介幸對淸官, 明鏡高懸.[29]

하늘로부터 불쌍하게 여겨지지 않고서는 (방법이 없는데,) 어찌 하늘은 저리 먼 곳에 있는가! 오늘 다행스럽게 청렴한 관리를 만나니 밝은 거울이 높이 걸려 있는 것과 같다.

해설: 하늘이 가엽게 여기는 데에 의지하고자 하나 하늘은 저리 멀어 닿지 않는데, 오늘 다행스럽게 청렴한 관리를 만나서 그가 세밀하게 살피고, 공정하게 판결했다.

---

29) 關漢卿(?~?), 『望江亭』, 第四折.

계약契約

계약

해설: 사람들은 사회에서 교류할 때 각종 문자로 된 협의를 한다. 중국은 세계에서 계약이 가장 일찍부터 발달한 국가 중 하나이다. 현존하는 가장 오래된 계약이 「오사위정명문五祀衛鼎銘文」 등 네 곳의 청동기에 새겨져 있다. 역대 왕조에서 발전을 거듭하면서 중국에는 형식이 제각각인 여러 종류의 계약이 출현했지만, 그 근본 목적은 바뀌지 않았다. 사람들이 계약하려는 목적은 모두 계약을 맺는 양자의 권리와 의무를 나누어 정하고, 계약을 통해 어러 사회관계를 안정시키는 것에 있었다. 여러 방면에서 계약을 활용하는 역사 사례를 통해 중국인이 고대부터 성실하고 신용을 지키는 미덕을 가지고 있었음을 알 수 있다.

【출전】

◎ 武寧節度使王德用自陳所置馬得于馬商陳貴, 契約俱在.[30)]

무녕절도사武寧節度使 왕덕용王德用(979~1057)이 말 상인인 진귀陳貴에게서 이 말을 가져왔고, 계약은 갖추었다고 직접 진술했다.

30) 司馬光(1019~1086), 『涑水記文』, 卷10.

해설: 무녕절도사 왕덕용이 말 상인인 진귀에게서 이 말을 구매했고, 모두 매매賣買 계약을 마쳤다고 직접 진술했다.

정유가긍情有可矜

범죄자의 사정에 불쌍한 부분이 있을 경우

해설: 인정人情과 도리道理에 따라 범인을 용서해 줄 수 있다. 청나라 때 추심에서 비록 범죄자를 사형에 처해야 한다고 판결이 나와도 정리情理에 따라 감형해 준다. 이 '정유가긍情有可矜'은 '가긍可矜', '가의可疑', '사유가의事有可疑'라고도 한다. 통상적으로 정유가긍에 해당하는 사건은 어린아이나 노인들, 장애인 등의 사람들이 범죄를 저지르거나, 부모를 보호하기 위해 타인의 생명을 상하게 한 사건이다. 무릇 정유가긍에 해당하는 범죄자를 유형流刑이나 도형徒刑으로 감형해 준다. 정유가긍을 통해 중국 고대 사법재판에서 정리를 중시하였음을 알 수 있다.

【출전】

◎ 可矜可疑, 情有可矜, 事有可疑, 仍須審詳再定者也.[31]

불쌍하고 의심스러울 정도로 (범인의) 사정에 불쌍한 부분이 있고, 사건에 의심스러운 부분이 있다면, 이에 반드시 자세한 심리를 통해 다시 형벌의 수위를 정해야 한다.

---

31) 内藤乾吉, 『六部成語注解』, 「刑部」.

해설: 용서받을 수 있고 의문점이 있는 상황이라면, 즉 안건이 정리情理에 따라 용서할 수 있고, 사건 정황에 의문점이 있으면, 이러한 종류의 사건들은 다시 상세한 심리를 거치게 한 후에 형을 확정한다.

상앙방승商鞅方升

상앙방승

해설: 전국시대 진나라의 표준 도량형 기구이다. 상앙이 변법變法을 할 때 도량형을 통일하기 위해 이를 감독하였기 때문에 '상앙량商鞅量'이라고도 불린다. 후세에 전해진 '상앙방승商鞅方升'은 청 말기에 출토되었다. 이 방승은 동銅으로 제작되었고, 형태는 장방형으로, 한 면에 손잡이가 달려 있고 다른 세 면과 바닥 부분에 명문銘文이 새겨져 있다. 바닥 부분의 명문에는 진나라가 6국을 통일한 후 전국의 도량형을 상앙량으로 통일했음을 명시했다. 상앙방승은 상앙변법과 관련된 유일한 유물이며, 이는 중국 전통의 법률을 잘 보여 주는 중요한 유물 중 하나이다.

【출전】

◎ 一法度衡石丈尺. 車同軌. 書同文字.32)

법도와 저울추 및 자의 기준을 통일했다. 수레의 바퀴 폭을 같게 하고 문자의 서체를 같게 했다.

해설: 법령과 도량형의 기준을 통일했다. 수레의 두 바퀴 간 폭을 통일했다. 그리고 글을 쓸 때 같은 서체를 쓰게 했다.

---

32) 司馬遷, 『史記』, 「秦始皇本紀」.

『절옥귀감折獄龜鑑』

『절옥귀감』

해설: 이는 『결옥귀감決獄龜鑑』이라고도 불린다. 이 서적을 편찬한 사람은 송나라의 정극鄭克(?~?)이다. 이 서적은 「석원釋冤」·「변무辨誣」·「국정鞫情」·「의죄議罪」·「유과宥過」·「징악懲惡」·「찰간察奸」·「핵간核奸」·「찰적察賊」·「적적迹賊」·「엄명嚴明」·「긍근矜謹」 등 20편으로 구성되어 있다. 정극은 춘추시대부터 북송 시기까지의 사건을 다시 조사하여 이 중 공정하게 판결하거나 소송한 사건에 대한 판결과 양형의 사례를 정리했다. 정극은 대부분 내용을 평어評語[33]를 통해 분석하고 고증했다. 이 서적은 이전 사람들이 사건을 수사하여 해결하고 검험檢驗하거나 심문하며 공평하게 판결하는 것에 관한 누적된 사례를 체계적으로 정리했다. 그래서 이 서적은 지금까지 높은 학술적 가치를 가지고 있고, 후세 통속문학에도 어느 정도 영향을 끼쳤다.

【출전】

◎ 高宗紹興三年, 降詔恤刑, 戒飭中外, 俾務哀矜.……(克)因閱和凝『疑獄集』, 嘉其用心, 乃分類其事.……易舊名曰『折獄龜鑑』.[34]

33) 평어는 작가나 편집자가 비평하는 것을 가리킨다.

고종 소흥 3년 수도와 각지에 죄인을 불쌍히 여기고, 훈계하고 타이르며, 업무를 볼 때 더욱 백성을 안타깝게 여기도록 조서를 내렸다.…… (정극이 소송사건의 사례를) 두루 읽고 나서 『의옥집疑獄集』을 편찬하였는데, 그 정성스러운 마음과 사례를 잘 분류한 것을 칭찬하였다.…… 옛 서명을 바꿔 『절옥귀감』이라 했다.

해설: 송나라 고종 소흥 3년(1133), 황제가 조서를 내려 형벌을 집행하는 데 신중히 하도록 관원들을 경계하고, 업무에 있어 반드시 백성을 안타깝게 여기도록 했다.…… 정극이 소송사건의 사례를 읽고 편집하여 편찬한 책이 『의옥집』이며, 그 정성스러운 마음과 사례를 잘 분류한 것을 칭찬하였다.…… 원래의 서명에서 『절옥귀감』으로 바꾸었다.

34) 劉壎(1240~1319), 『隱居通議』.

신명정申明亭

신명정 제도

해설: 신명정申明亭은 명·청 시기 향읍의 교화를 위해 지은 장소로, 명나라 태조 주원장朱元璋이 주도해 세운 것이라고 전해진다. 그는 모든 향읍에 신명정을 세워서 각지의 원로와 이장里長이 이 정자에서 법률문서를 낭독하고, 백성들 사이에서 발생한 소송사건을 처리하며, 관민들의 악행을 기록하고 징벌하거나 선행을 칭찬하였다. 명·청 시기 신명정은 법적으로 보호를 받았다. 신명정 제도는 명·청 시기 지방 통치에 있어 중요한 수단 중 하나로, 법령을 전하고 도덕과 교화를 중시하며, 민간에서 발생하는 분쟁을 해결하고 조정하는 데 이 제도를 활용했다.

【출전】

◎ 尤擇一醇謹端亮者爲之, 以年則老, 識則老, 而諳練時務則又老. 有渠人搆一亭, 書之曰"申明亭", 朔望登之, 以從事焉.[35]

순하고 신중하며 단정하고 진실한 사람을 뽑았는데, 나이로 원로를 뽑거나 지식으로 원로를 뽑거나 현안에 능숙함으로 원로를 뽑았다. (향읍의) 우두머리가 정자를 세워 '신명정'이라

35) 海瑞, 『備忘集』, 卷6.

적었는데, 삭망朔望에 이곳에 올라 업무를 처리했다.

해설: 순하고 신중하며 단정하고 정직한 사람을 원로로 뽑아 일을 맡겼는데, 원로가 지식이 풍부하고 현안을 잘 처리했다. 그래서 정자를 세웠는데, 신명정이라 불렀으며, 매월 음력 초하루와 보름에 원로들이 이곳에 모여 일을 처리했다.

승지이법繩之以法

법에 따라 처리한다

해설: 법률에 따라 범죄행위를 제재한다는 의미이다. 승繩은 목공을 할 때 쓰는 먹줄로 곡직曲直을 교정해 주는 기구이며, 여기에서 제재한다는 뜻이 파생되었다. 현대사회에서 '승지이법繩之以法'은 법률에 따라 일을 처리하고, 범죄행위를 처벌하며, 사회의 안정과 사법의 공정성을 추구하는 것을 가리킨다.

【출전】

◎ 以文帝之明, 而魏尙之忠, 繩之以法則爲罪, 施之以德則爲功.[36]

문제文帝가 영명했고 위상魏尙(?~기원전 157)이 충성스러우므로 (위상이 잘못했을 때) 법에 따라 처리하여 죄를 물었고, (위상이 공을 세웠을 때) 덕으로 베풀어 공적으로 삼았다.

해설: 한나라 문제가 총명했고 위상이 충성스러웠기 때문에, 문제가 위상에게 죄가 있으면 법에 따라 위상을 제재했고, 위상에게 공이 있으면 은덕을 베풀었다.

36) 范曄(398~445), 『後漢書』, 「馮衍傳」.

수호지진묘죽간睡虎地秦墓竹簡

수호지睡虎地의 진나라 묘 속 죽간

해설: 호북성湖北省 운몽현雲夢縣 수호지의 진나라 묘 속에서 죽간이 출토되었다. 1975년 말부터 1976년 초까지 고고학자들은 수호지에서 전국시대의 묘 12기를 발굴했다. 이 중 11호에서 한 무더기의 진나라 때 죽간이 발견되었는데, 이를 정리하고 복원하니 모두 1155개이고, 80개의 파편이 있었으며, 죽간을 출토지의 지명에 따라 명명했다. 수호지의 진나라 묘 속 죽간을 통해 상앙변법부터 진시황의 6국 통일 전까지 진나라의 법률제도가 확립되어 가는 상황을 살펴볼 수 있다. 수호지의 진나라 묘 속 죽간 내용에는 형법과 행정법, 민법뿐만 아니라 경제법과 소송법, 군법 등이 포함되어 있다. 진시황은 이러한 완비된 법률 체계 위에 통일을 이루고, 중앙집권적 제국을 세웠다. 수호지의 진나라 묘 속 죽간은 고대 법제사 연구에서 중요한 가치를 지니고 있다.

【출전】

◎ 百姓居田舍者毋敢醢(酤)酉(酒)[37], 田嗇夫, 部佐謹禁御之, 有

37) 醢는 酤의 이체자로, 본래 식해의 의미를 가지고 있으나 여기에서는 술의 일종인 계명주를 가리킨다.
酉는 酒의 古字이다.

不從令者有罪.[38]

백성 중 농가에 거주하는 자에게 술을 금지했고, 전색부田嗇夫[39]와 부좌部佐[40]들이 이를 제재했으며, 법령을 따르지 않는 자는 죄를 주었다.

해설: 농가에 사는 농민들에게 술을 파는 행위를 금지했다. 촌장과 그의 수하들은 이들에게 술을 파는 행위를 엄격하게 금지시켰고, 법령을 따르지 않으면 죄를 물었다.

38) 『睡虎地秦墓竹簡』, 「秦律十八種 · 田律」.

39) 중국 고대에 농사를 관장하는 하급 관리를 가리킨다.

40) 전국시대 진나라의 향촌 관리를 가리킨다.

송사비본訟師秘本

소송대리인과 관련된 서적

해설: 송사비본訟師秘本은 사람들에게 소송하는 방법을 가르치기 위해 편찬된 서적이다. 여기에서 송사訟師란 다른 사람의 소송 업무를 돕는 사람을 가리킨다. 고대 중국의 정부 입장에서는 송사가 소송을 끊임없이 유발하는 사람으로 보였기 때문에 송사는 각급 아문의 통제를 받았다. 송사비본은 소송을 좋아하거나 과도한 소송을 하는 분위기를 야기한다고 여겨졌으므로 통치자들이 이를 금지하거나 없애려고 했다. 이러한 통치자들의 조치로 인해 송사비본은 음지에서 유행하게 되었다. 이렇듯 송사비본은 백성들에게 법률 지식을 보급하는 주요 경로여서 통치자의 단속에도 불구하고 강한 생명력을 가졌으며, 백성들에게 실용적이었다.

【출전】

◎ 坊肆所刊訟師秘本, 如『驚天雷』『相角』『法家新書』『刑臺秦鏡』等, 一切構訟之書, 盡行査禁銷毁, 不許售賣.[41]

방사坊肆[42]에서 간행한 송사비본[43]은, 곧 『경천뢰驚天雷』와 『상

41) 『大淸律例』, 「刑律」.
42) 방사는 서점을 가리키는데, 옛날에는 서점에서 책을 판매할 뿐만 아니라 간행하기

각相角』, 『법가신서法家新書』, 『형대진경刑臺秦鏡』 등과 같은 서적은 모두 소송을 일으키는 서적이어서 (정부에서 이러한 서적들을) 모두 찾아 유포를 금지하고 없앴으며, 사고파는 것을 허락하지 않았다.

해설: 서점에서 간행한 『경천뢰』, 『상각』, 『법가신서』, 『형대진경』 등과 같은 송사비본은, 모두 소송을 유발하는 서적이기 때문에 정부에서 이러한 서적들을 금지하고 없애려 하였으며, 사람들이 사고팔지 못하게 하였다.

도 했다.

43) 표제어의 해석과 해설을 참조한다.

『당육전唐六典』

당육전

해설: 『대당육전大唐六典』이라고도 한다. 원제목은 당나라 현종이 선정했으며, 이임보李林甫(?~752)가 주석을 달았다. 『당육전』은 당나라 개원開元 연간의 관직 체제의 일부를 기초로 하여 역대 연혁과 기원을 살펴보는 내용으로 구성되었으며, 이러한 구성을 통해 관직을 설치하고 직무를 분담하는 목적을 명확히 고찰하고자 하였다. 현종의 뜻에 따라 이 서적의 항목은 『주관周官』을 참고하여 여섯 개로 나누었으므로 『당육전』이라고 불리게 되었다. 그러나 당나라 시기의 관직제도와 주나라 시기의 관직제도 사이에 차이점이 크기 때문에, 『당육전』은 당나라 때 국가기관의 실제 모습을 참고하여 편찬했다. 『당육전』은 당나라 시기 중앙과 지방 국가기관의 구성과 편제, 직책, 인원, 품계, 대우 등을 규정했고, 주석에서 이와 관련된 관직 체계의 역사와 연혁도 서술했다. 그래서 이 서적은 중국 고대 행정법의 특징을 잘 보여 주는 관찬서官撰書이다.

【출전】

◎ 唐虞而下, 損益沿革咸具焉. 昔宋祁論唐制精密簡要. 曾鞏謂『六典』得建官制理之方, 文不煩而實備.[44)]

당唐[45]과 우虞[46] 이래 제도를 가감한 연혁이 모두 (이 서적에) 있다. 일찍이 송기宋祁(998~1061)는 당唐나라(618~907) 제도의 정밀하고 핵심적인 내용을 논증했다. 증공曾鞏(1019~1083)은 『육전』으로부터 관제官制의 제정과 치국의 방책을 가져왔기 때문에 (그의) 문장은 번다하지 않으면서도 내용이 잘 갖춰졌다.

해설: 『당육전』의 중간본重刊本에는 요·순 이래 행정제도의 가감과 계승 및 변화를 기록했다. 송기는 일찍이 당나라의 행정제도를 정밀하고 핵심적으로 설명한 적이 있다. 여기에다 증공은 『당육전』을 참고하여 관직의 설치와 국가의 통치에 관한 일을 설명하였기 때문에, 그가 쓴 서적의 서술은 간결하였으나 요점을 잘 짚었다.

44) 王鏊(1450~1524), 『震澤集』, 「重刊『唐六典』序」.
45) 요임금이 세운 국가이다.
46) 순임금이 세운 국가이다.

『당률소의唐律疏議』

『당률소의』

해설: 『당률소의』는 『영휘율소永徽律疏』라고도 불린다. 당나라 고종 영휘永徽 원년(650) 장손무기長孫無忌 등이 조서를 받들어 무덕武德[47]과 정관 때의 율령을 기초로 하여 새 율령을 보완하였고, 다음 해 완성하였는데, 이것이 「영휘율永徽律」이다. 영휘 3년 5월 고종은 주석 작업을 하도록 조서를 내려 이 법의 역사적 연혁과 용어 해석에 대한 설명을 넣도록 했다. 이 작업은 영휘 4년 11월에 마쳤는데, 이것이 『영휘율소』이다. 『당률소의』는 율문律文과 소의疏議 두 부분으로 나뉘는데, 율문인 「영휘율」은 법률 조문이고, 소의는 율문에 대한 해석으로 율문과 동등한 효력을 가지고 있다. 『당률소의』는 모두 30권 12편 502조로 구성되어 있다. 이 서적은 중국 고대의 대표적인 법전이자 고대 동아시아 각국의 입법에 큰 영향을 미쳤다.

【출전】

◎ 唐律一準乎禮, 以爲出入得古今之平.[48]

당률은 한결같이 예를 기준으로 삼았는데, (다른 법률로부터

47) 당나라 高祖(재위기간: 618~626)의 연호이다.
48) 紀昀(1724~1805), 『四庫全書總目提要』, 卷82.

법 조항을) 넣고 뺌에 있어서는 고금에서 가장 공평함을 얻었다
고 여겨진다.

해설: 당나라의 법률은 유가의 예를 입법의 기준으로 삼았다. 형벌이
엄하지 않고 처벌의 경중은 알맞으므로 이 당률은 옛날부터 지금까
지 가장 공평한 법률이다.

동궤銅匭

동궤 제도

해설: 측천무후(624~705)가 수렴첨정을 하던 시절에 그녀가 고안하여 청동으로 '동궤銅匭'를 만들게 했다. 동궤는 수시로 천하의 상주문을 접수하기 위해 만들었고, 오늘날 건의함과 비슷하다. 동궤는 낙양 궁성 앞에 있는 묘당廟堂 내 조당朝堂의 동서남북 4개 격문格門에 설치하였다. 관리들이나 백성들이 서쪽 함에는 억울함을 호소하거나 비밀리 신고하는 내용의 글을 넣었고, 동쪽 함과 남쪽 함 및 북쪽 함에는 간언하거나 칭송하는 내용의 글을 인재·농업·정치 등의 사안별로 분류해서 넣었다. 이 궤를 전담하는 관원이 있었고, 이를 통해 언로言路가 원활해져 아래의 일을 위로 전했다. 동궤 제도는 최고 통치자가 아래의 일을 살피는 하나의 경로가 되었다. 그러나 동궤는 이후에 점차 개수가 줄어들었고, 가혹한 정치를 하면서 이를 신고함으로 대체하였다. 이 신고함은 측천무후 때 밀고가 성행하는 데에 많이 활용되었다.

【출전】

◎ 則天臨朝, 初欲大收人望. 垂拱初年, 令熔銅爲匭, 四面置門, 各依方色, 共爲一室.[49]

측천무후가 국정을 맡았을 때, 크게 인망을 얻고 싶어 했다. 수공垂拱 초년(685)에 청동을 녹여 궤를 만들어 (조당의) 네 면의 문에 (이를) 두었는데, 각각 오방五方의 색을 따랐고, 이를 모두 합쳐 하나의 방으로 삼았다.

해설: 측천무후가 국정을 맡았을 때, 크게 인망을 얻고 싶어 했다. 수공 초년에 청동을 녹여 궤를 만들어 조당의 네 방향 문에 이를 하나씩 설치는데, 각각 오방의 색을 따랐으므로 마치 이를 합쳐 하나의 방이 된 것과 같다.

49) 劉昫 · 張昭遠 · 賈緯 · 趙熙 등, 『舊唐書』, 「刑法志」.

망개일면網開一面

그물의 한 면을 열어 주다

해설: '망개일면網開一面'은 사냥용 그물의 한 면을 열어 짐승이 도망갈 수 있는 길을 열어 준다는 뜻이다. 이 말은 법을 적용하는 과정에서 관대한 태도를 보이는 모습을 비유할 때 쓰이고, 범죄자에게 이전 잘못을 덮어 주고 새로운 출로를 열어 준다는 뜻이다. 본래는 '망개삼면網開三面'이었는데 이 말로부터 망개일면이라는 말이 나왔다. 중국인들이 망개일면이라는 말을 널리 받아들여 규정을 적용할 때 다른 사람들의 사정을 고려하였다.

【출전】

◎ 湯出, 見野張網四面, 祝曰: "自天下四方, 皆入吾網." 湯曰: "嘻, 盡之矣!" 乃去其三面.[50)]

탕왕이 (궁에서) 나왔을 때, 들판에서 네 면에 그물을 친 자가 "천하사방으로부터 모두 내 그물에 들어오기를 바란다"라고 말한 것을 보았다. 탕왕이 "아, 다 잡으려 하다니!"라고 말하였다. 이에 (그 사람은) 3면(의 그물을) 거두었다.

해설: 상나라 탕왕이 외출하였을 때, 누군가가 들판 4면에 모두 그물을

50) 司馬遷, 『史記』, 「殷本紀」.

펼치며 "천하사방의 금수는 모두 나의 그물 안에 있기를 바란다"라고 말한 것을 보았다. 탕왕이 "아아, 잔혹하구나. 금수들을 다 포획하겠다"라고 하였다. 이에 그물 친 사람이 그물의 3면을 거둬들였다.

해치獬豸

해치

해설: 고대 전설 속의 신성한 동물로 시시비비를 잘 분별할 줄 아는 동물이다. 큰 해치는 소만 하고, 작은 해치는 양만 하다. 생김새는 기린麒麟[51]과 비슷하고, 몸 전체가 검은색의 털로 덮여 있으며, 두 눈은 밝고, 머리 위에 한 개의 뿔이 있다. 해치는 싸울 때 그 뿔로 이치에 맞지 않는 행동을 하는 사람을 들어 올렸다. 전하길 우순虞舜[52]이 고요皐陶를 법관으로 임명한 후 의심스러운 안건을 처리할 때 해치를 활용하여 시비를 분명히 했다고 한다. 고대 '법灋'이라는 글자 속의 '치廌'도 해치를 가리키며, 공정하다는 뜻을 가지고 있다. 지금도 해치는 중국 법원과 변호사 사무실이나 법학대학에서 상징물로 많이 쓰인다.

【출전】

◎ 獬豸, 神羊, 能別曲直, 楚王嘗獲之, 故以爲冠.[53]

해치는 신성한 양으로 옳고 그름을 구별할 줄 알았는데, 초왕이 일찍이 이를 잡게 되자 관모의 모양으로 삼았다.

---

51) 중국 전설 속 신수 중 하나이다.
52) 순임금을 가리킨다.
53) 范曄, 『後漢書』, 「輿服志下」.

해설: 해치는 일종의 신성한 양으로, 옳고 그름을 구별할 줄 알았다. 초나라 왕이 일찍이 이를 잡게 되자 이 모습을 본떠서 관모冠帽를 만들었다.

형정刑鼎

형법 조문이 새긴 세발 솥

해설: 고대에는 법조문을 새겨 넣은 청동 솥을 주조했다. '형刑'은 법조문을 가리킨다. '정鼎'은 고대에 제물을 삶을 때 쓰는 기물로, 귀족들이 사용하는 예기禮器 중 하나이다. 춘추 후기에 법조문을 청동 솥에 새겼기 때문에(鑄刑鼎), 솥에 새겨진 법조문은 고대 중국 성문법의 기초로 여겨지고 있다. 역사서에는 '주형정'이라는 말이 2번 나온다. 첫 번째 기록은 정鄭나라에서 주나라 경왕景王 9년(기원전 536)에 자산子產(?~기원전 522)이 법조문을 솥에 새겼다는 기록이다. 두 번째 기록은 진晉나라에서 주나라 경왕敬王 7년(기원전 513)에 조앙趙鞅(?~기원전 476)과 순인荀寅(?~?)이 범선자范宣子(?~기원전 548)가 제정한 법을 솥에 새겼다는 기록이다. 이렇듯 솥에 법조문을 새기는 방식을 통해 대중에게 법률을 공포했으며, 이를 통해 중국 고대에 법률이 비밀법秘密法에서 공포법公布法으로 전환되어 가는 과정 즉 법률의 발전 과정을 알 수 있다. 진나라 이후 형률刑律을 죽간이나 종이에 기록하면서 주형정이라는 말이 사라졌다.

【출전】

◎ 冬, 晉趙鞅荀寅帥師城汝濱, 遂賦晉國一鼓鐵, 以鑄刑鼎, 著范

宣子所爲刑書焉.[54)]

겨울에 진晉나라의 조앙趙鞅과 순인은 군대를 통솔해 여수汝水의 강가에 성을 세우고서 진나라에 480근의 철을 부세토록 하여 형정刑鼎을 주조하였는데, 범선자范宣子가 만든 형률서를 여기에 새겨 넣었다.

해설: 겨울에 진나라의 조앙과 순인은 군대를 통솔해 여수의 강가에 성을 세우고 이곳 백성에게 480근의 철을 징수하여 형정을 주조하였는데, 범선자가 제정한 형법을 이 형정에 새겼다.

54) 『左傳』, 昭公 29年.

아문衙門

아문

해설: 고대 중국에서 관아를 '아문衙門'이라고 불렀다. 아문은 아문牙門에서 유래되었다. 아문은 군대의 영문營門으로, 영문의 양쪽의 나무 기둥에 용맹함을 상징하는 맹수의 날카로운 이빨을 그려 넣은 데에서 이 말이 유래했다. 관부를 아문이라고 부른 이유는 권력의 위엄을 보여 주기 위해서였다. 관부를 아문이라고 처음 부른 것은 당나라 시기이며, 송나라 시기에 아문이라고 부르는 일이 늘어났고, 이는 명·청 시기까지 1천여 년이 이어졌다. 고대 중국에서는 위로 황제 이하 각 부로부터 아래로 지방 주, 현의 관아까지 모두 아문이라고 불렀다. 백성들은 일반적으로 자신과 친밀한 관계의 주, 현 관부를 아문으로 인식했다. 주와 현 아문의 내 업무는 많았는데, 이곳에서 관할구역 내 각 업무를 종합적으로 처리했다.

【출전】

◎ 每日衙門虛寂, 無復訴訟者.[55]

매일 (소송을 담당하는) 아문이 텅 비고 적막한 것은 다시 소송이 없기 때문이다.

---

55) 魏徵(580~643)·李百藥(564~648), 『北齊書』, 「宋世良傳」.

해설: 매일 소송을 담당하는 아문에 사람이 한 명도 없이 비어 있는 것은 더 이상 사람들이 소송을 걸지 않았기 때문이다.

유리성羑里城

유리성

해설: 유리성은 중국 역사에 기록된 최초의 국가가 관리하는 감옥이다. 유리성은 주나라 문왕文王 희창姬昌이 상나라 주왕(재위기간: 기원전 1075~기원전 1046)에 의해 감금되어 『주역周易』을 집필했던 곳이다. 유적지는 지금 하남성河南省 안양시安陽市 탕음현湯陰縣의 읍성으로부터 북으로 40킬로미터 거리에 있다. 상나라 말 희창의 세력이 점점 커지자, 주왕은 희창이 모반을 꾀할 것을 걱정하여 이곳에 그를 감금하였다. 희창은 앞날을 도모하기 위해 이곳에서 『주역』을 집필했다. 이후 사람들은 이곳에 문왕을 기념하기 위한 사당을 지었고, 여러 차례 유지, 보수했다.

【출전】

◎ 西伯昌聞之, 竊嘆, 崇候虎知之, 以告紂, 紂因西伯羑里.[56)]

서백인 창[57)]이 이를 듣고 조용히 탄식하니, 숭후崇侯인 호虎가 이를 알고 주왕에게 고하자, 주왕은 서백을 유리에 가두었다.

해설: 서백인 창이 이를 듣고 조용히 탄식하니, 숭崇나라의 제후인 호虎가 이를 듣고 주왕에게 고하자, 주왕은 서백을 유리에 가두었다.

---

56) 司馬遷, 『史記』, 「殷本紀」.

57) 주나라 문왕을 가리킨다.

짐이朕匜

짐이

해설: 짐이朕匜는 서주 시기 청동기의 명칭이다. 짐朕은 사람의 이름이다. 이匜는 예기禮器의 명칭이다. 1975년 섬서성陝西省 기산岐山에서 출토되었다. 긴 타원형으로 네 개의 발은 양의 굽처럼 생겼으며, 비파형의 동물머리 모양을 한 뚜껑이 있었다. 이 청동기의 뚜껑과 배 부분의 밑에 명문이 새겨져 있는데, 이 기록은 현재까지 발견된 것 중 가장 오래된 소송 판결문으로, 그 내용은 서주 시기 노예 매매와 관련된 분쟁 과정이다. 이는 아주 사료적인 가치가 높으며, 서주 시기 법률제도를 연구하는 데 있어 중요한 의미를 가진다.

【출전】

◎ 白揚父迺成貿, 曰: "牧牛! 徂乃可湛. 女敢以乃師訟……罰女三百寽[58]." 白揚父迺或吏牧牛誓曰: "自今余敢擾乃小大史."……牧牛辭誓成, 罰金. 朕[59]用乍旅和.[60]

백양의 아버지인 너가 재물을 탐하자 (사법관이) "목동이여! 네가 심하도다. 네가 감히 관리에게 소송을 걸다니. 너에게

58) 寽은 鋝의 고체자로, 1鋝은 6兩에 해당된다. 그러므로 300鋝은 1800량에 해당된다.
59) 원문에서는 朕匜를 줄여 朕이라고 표기했다.
60) 秦永龍, 『西周金文選注』.

300률守의 벌금에 처하겠다"고 말하였다. 백양의 아버지인 너는 목동의 서약서에서 "이제부터 나는 감히 당신의 크고 작은 일을 어지럽히지 않겠다 "고 서약했다.…… 목동이 맹세한 후 벌금을 냈다. 짐이를 활용해 비로소 화해했다.

해설: 사법관이 백양의 아버지에게 판결하길 "목동이여! 이전 너의 행위는 과했다. 네가 감히 너보다 위에 있는 관리와 소송을 하다니. 너에게 1800량의 청동을 내는 벌금에 처하겠다"고 하였다. 백양의 아버지는 목동의 서약서 즉 짐이에서 "이제부터 나는 큰일과 작은 일에서 감히 관리를 괴롭히지 않겠다"고 맹세하였다.…… 목동 즉, 백양의 아버지는 이 서약서에 서명한 후에 벌금을 냈다. 이렇듯 짐이를 활용해 백양의 아버지와 피소당한 관리는 비로소 화해했다.

장가산한묘죽간張家山漢墓竹簡

장가산張家山에서 출토된 한나라 묘의 죽간

해설: 1983년 호북성湖北省 강릉江陵(지금의 荊州)의 성 밖 서남 방향으로 15킬로미터 떨어져 있는 장가산에서 출토된 전한前漢 시기의 죽간으로, 중국 법제사에서 역사적 의미가 큰 유물이다. 죽간의 내용이 풍부한데, 그 내용에는 『이년율령二年律令』과 『주언서奏讞書』 등 8종의 문헌이 포함되어 있다. 『이년율령』은 사라진 한나라 율령을 재현할 수 있을 정도이기 때문에 고대 법률 체계 연구에서 가장 직접적으로 당시 상황을 보여 주는 자료이다. 『주언서』는 진나라와 한나라의 사법 소송제도와 관련된 직접적인 기록으로, 이 기록을 통해 이 시기의 법률 집행 상황을 살펴볼 수 있다.

【출전】

◎ 販賣繒布幅不盈二尺二寸者, 沒入之. 能捕告者, 以畀之.[61]

판매하는 증포繒布[62] 중 폭이 2척 2촌에 미치지 않는 것은 받아주지 않았다. (범죄자를) 잡아 고하는 자에게 이를 수여했다.

해설: 판매하는 증포의 폭이 2척 2촌이 되지 않으면 관부에서 이를 받아

61) 『張家山漢墓竹簡』, 「二年律令」.
62) 무늬 없는 부드러운 견직물이다.

주지 않았다. 그리고 누군가가 범죄자를 잡아 고발했을 때 사실로 확인되면 그에게 관부에서 납부받은 증포를 수여했다.

집법여산執法如山

법을 집행하는 것은 산과 같이 엄격하게 한다

해설: '집법여산執法如山'은 법의 집행을 마치 산처럼 엄격하게 해야 한다는 뜻이다. 당나라 시기 옹주雍州의 사호司戶[63]인 이원굉李元紘(?~733)은 자신의 상사가 권력에 굴복하여 판결을 번복했을 때, 붓을 들어 원심에 대한 판결 문서의 빈 부분에 '남산을 움직일 수 있어도 이 판결은 움직일 수 없다'(南山可移, 此判無動)는 8자를 써서 정의를 지키고자 했다. 후대 사람들이 이 8자를 집법여산으로 축약했다. 역사서를 살펴보면 중국 고대에 엄격하게 법을 집행한 사례가 많았으며, 사사로운 정에 얽매이지 않고 공정하게 판결했다. 이러한 판결을 한 적인걸狄仁傑, 포증包拯, 해서海瑞(1514~1587) 등은 많은 고대 문학작품 속에서 법관들의 전형적인 모습으로 묘사되었다. 오늘날에도 집법여산은 법관들이 법의 집행에서 엄격해야 함을 깨우쳐 준다.

【출전】

◎ 言出如箭, 執法如山.[64]

---

63) 지방의 재정을 담당하는 관직 중 하나이다.

64) 李綠園, 『歧路燈』, 第88回.

말을 내는 것은 화살과 같이 (빠르게) 하고, 법을 집행하는
것은 산과 같이 (엄격하게) 해야 한다.

해설: 법을 공포하는 것은 화살과 같이 빠르게 하고, 법을 집행하는 것은
산과 같이 엄격하게 해야 한다.

집사執事

집사

해설: 집사執事에는 여러 가지 뜻이 있는데, 중국 법제사에서 아문 내 재판장의 탁자 위 좌우에 놓인 숙정肅靜과 회피回避라고 쓰인 팻말을 가리키거나 관원의 직급패와 군장軍杖 등의 기물을 가리킨다. 관원들은 집사를 관리의 권위를 높이기 위한 용도로 활용했다. 이러한 기물들은 민간 희곡이나 민속작품, 통속소설에서 많이 등장하며, 중국 전통 법률의 특징을 잘 드러낸다.

【출전】

◎ 當下定了主意, 次早傳齊轎夫, 也不用全副執事, 只帶八介紅黑帽夜役軍牢. 翟買辦扶着轎子, 一直下鄉來.[65]

(적매판은 판결에 대한) 결정을 내리자마자 다음 날 아침에 바로 가마꾼들을 불러 모았으며 또한 여러 집사들을 갖추진 않은 채, 다만 야간 근무를 섰던 붉고 검은 관모를 쓴 8명의 군뢰軍牢[66]들만 수행하도록 했다. 적매판翟買辦은 가마를 타자마자 곧장 (판결하러) 향촌으로 왔다.

---

65) 吳敬梓(1701~1754), 『儒林外史』, 第1回.

66) 관부에 소속된 衛兵을 가리킨다.

해설: 적매판은 판결에 대한 결정을 내리자마자 다음 날 아침에 바로 가마꾼들을 불러 모았으며 또한 여러 집사들을 휴대하지 않은 채 다만 야간 근무를 섰던 붉은 관모를 쓴 8명의 군리들만 대동하도록 했다. 적매판은 가마를 타자마자 곧장 판결하러 향촌으로 왔다.

중국역사연대간표

中國歷史年代簡表

원고시대遠古時代(상고시대)			
하夏			기원전 2070~1600년
상商			기원전 1600~1046년
주周	서주西周		기원전 1046~771년
	동주東周		기원전 770~256년
	춘추시대春秋時代		기원전 770~476년
	전국시대戰國時代		기원전 475~221년
진秦			기원전 221~206년
한漢	서한西漢		기원전 206~기원후 25년
	동한東漢		25~220년
삼국三國	위魏		220~265년
	촉蜀		221~263년
	오吳		222~280년
진晉	서진西晉		265~317년
	동진東晉		317~420년
	십육국十六國		304~439년
남북조南北朝	남조南朝	송宋	420~479년
		제齊	479~502년
		양梁	502~557년
		진陳	557~589년
	북조北朝	북위北魏	386~534년
		동위東魏	534~550년
		북제北齊	550~577년

	북조北朝	서위西魏	535~556년
		북주北周	557~581년
수隋			581~618년
당唐			618~907년
오대십국 五代十國	후량後梁		907~923년
	후당後唐		923~936년
	후진後晉		936~947년
	후한後漢		947~950년
	후주後周		951~960년
	십국十國		902~979년
송宋	북송北宋		960~1127년
	남송南宋		1127~1279년
요遼			907~1125년
서하西夏			1038~1227년
금金			1115~1234년
원元			1206~1368년
명明			1368~1644년
청淸			1616~1911년
중화민국中華民國			1912~1949년

1949년 10월 1일 중화인민공화국中華人民共和國 건국建國

■ "십육국十六國"은 동진 시기 중국 북방지역 등에 세워진 16개의 지방정권으로, 이러한 16국은 다음과 같다.

한漢(前趙. 304~329), 성成(成漢. 306~347), 전량前涼(301~376), 후조後趙(魏. 319~351), 전연前燕(337~370), 전진前秦(351~394), 후연後燕(384~407), 후진

後秦(384~417), 서진西秦(385~400, 409~431), 후량後涼(386~403), 남량南涼(397~414), 남연南燕(398~410), 서량西涼(400~421), 북량北涼(397~439), 북연北燕(407~436), 하夏(407~431).

■ "십국十國"은 오대시대 전후에 건국된 10개의 지방정권으로, 이러한 10국은 다음과 같다.

오吳(902~937), 전촉前蜀(907~925), 오월吳越(907~978), 초楚(907~951), 민閩(909~945), 남한南漢(909~971), 형남荊南(南平. 907~963), 후촉後蜀(934~965), 남당南唐(937~975), 북한北漢(951~979).

참고문헌

1. 저서

北京大學法學百科全書編委會,『北京大學法學百科全書』, 北京: 北京大學出版社, 2016.
陳鼓應,『老子今注今譯』, 北京: 商務印書館, 2003.
垂虎地秦墓竹簡整理小組,『垂虎地秦墓竹簡』, 北京: 文物出版社, 1990.
法學詞典編輯委員會,『法學詞典』, 上海: 上海辭書出版社, 1980.
范忠信·鄭定·詹學農,『情理法與中國人—中國傳統法律文化探微』, 北京: 中國人民大學出版社, 1992.
江隱龍,『法律博物館: 文物中的法律故事』, 北京: 中國法制出版社, 2021.
金耀基,『中國民本思想史』, 北京: 法律出版社, 2008.
李交發,『中國訴訟法史』, 湘潭: 湘潭大學出版社, 2016.
馬小紅,『禮與法: 法的歷史連接』, 北京: 北京大學出版社, 2004.
馬小紅,『中國法思想史新編』, 南京: 南京大學出版社, 2015.
馬小紅,『中國古代契約發展史』, 北京: 中華書局, 2017.
馬小紅 等,『中國法律史教亭』, 北京: 上務印書館, 2020.
馬小紅·柴榮,『中國法制史』, 北京師範大學出版社, 2009.
蒲堅,『中國法制史大辭典』, 北京: 北京大學出版社, 2015.
錢穆,『論語新解』, 武漢: 長江文藝出版社, 2020.
施宣圓 等,『中國文化辭典』, 上海: 上海社會科學院出版社, 1987.
王國慶,『品讀內鄉縣衙』, 北京: 華藝出版社, 2010.
王威威,『韓非思想研究: 以黃老爲本』, 南京: 南京大學出版社, 2012.
武樹臣,『中國法律思想史』, 北京: 法律出版社, 2004.
武樹臣·李力,『法家思想與法家精神』, 北京: 中央廣播電視大學出版社, 1998.
楊寬,『戰國史』, 上海: 上海人民出版社, 2019.
尤陳俊,『法律知識的文字傳播』, 上海: 上海人民出版社, 2013.
張岱年,『中華思想大辭典』, 長春: 吉林人民出版社, 1991.
張家山二四七號漢墓竹簡整理小組,『張家山漢墓竹簡』, 北京: 文物出版社, 2006.

趙晶, 『『天聖令』與唐宋法制考論』, 上海: 上海古籍出版社, 2020.
趙武宏, 『細說漢字』, 北京: 大宏文藝出版社, 2010.

吳兢, 駢宇騫·駢驊 譯, 『貞觀政要』, 北京: 中華書局, 2009.

2. 논문

阿風, 「中國歷史的"契約"」, 『安徽史學』 2015(4), pp.5~12.
陳一石, 「"禮不下庶人, 刑不上大夫"辨」, 『法學研究』 1981(1), pp.49~53.
程忠學, 「"明鏡高懸"的來歷」, 『咬文嚼學』 1996(11), p.46.
黨江舟, 「中國傳統訟師文化研究」, 中國政法大學博士論文, 2003.
鄧建鵬, 「健訟與息訟—中國傳統訴訟文化的矛盾解析」, 『清華法學』, 2004(1), pp.176~200.
范忠信, 「中西法律傳統中的"親親相隱"」, 『中國社會科學』 1997(3), pp.87~104.
夫馬進·李力, 「訟師秘本的世界」, 『北大法律評論』 2010(1), pp.210~238.
鞏富文, 「唐代的三司推事制」, 『人文雜志』 1993(4), p.117.
何明, 「矜老恤幼思想的歷史推進與現代展開」, 『周口師範學院學報』 2018, 35(3), pp.114~117.
黃純艷, 「宋代登聞鼓制度」, 『中州學刊』 2004(6), pp.112~116.
霍存福, 「中國古代契約精神的內涵及其現代價值」, 『吉林大學社會科學學報』 2008(5), pp.57~64.
蔣鐵初, 「中國古代的罪疑惟輕」, 『法學研究』 2010, 32(2), pp.196~208.
李燦, 「初論清代刑名幕友」, 『西南政法大學學報』 2013, 15(5), pp.15~21.
李德嘉, 「董仲舒"任德不任刑"的思想辨正」, 『江漢學術』 2017, 36(4), pp.97~102.
李德嘉, 「"德主刑輔"說的學說史考察」, 『政法論叢』 2018(2), pp.153~160.
李勤通, 「論禮法融合對唐宋司法制度的影響」, 『江蘇社會科學』 2018(4), pp.142~151.
李興濂, 「進善旌·誹謗木·登聞鼓」, 『雜文月刊』 2014(11), p.15.
李學勤, 「張家山漢簡研究的幾介問題」, 『鄭州大學學報』(哲學社會科學版) 2002(3), pp.5~7.
梁濤, 「"親親相隱"與"隱而任之"」, 『哲學研究』 2012(10), pp.35~42·128.
梁治平, 「"禮法"探原」, 『清華法學』 2015(1), pp.81~116.

劉昌安·溫勤能, 「婚姻“六禮”的文化內涵」, 『漢中師院學報』(社會科學版) 1994(2), pp.39～43.
劉春梅, 「論明淸申明亭的起源, 興廢及功用」, 『成都師範學院學報』 2016(4), pp.112～115.
劉海年, 「㑞匜銘文及其所反映的西周刑制」, 『法學硏究』 1984(1), pp.81～88.
劉宏·熊丹, 「古代死刑覆核覆奏制度的借鑒意義」, 『人民論壇』 2011(26), pp.92～93.
劉瑞明, 「古代“關聯”拾趣」, 『廉政瞭望』 2005(7), p.58.
劉信芳, 「“禮不下庶人, 刑不上大夫”辨疑」, 『中國史硏究』 2004(1), pp.23～28.
馬飛, 「以道尊君與詮法—愼到政治哲學再闡釋」, 『北京行政學院學報』 2020(5), pp.110～117.
馬小紅, 「釋“禮不下庶人, 刑不上大夫”」, 『法學硏究』 1987(2): 71, pp.83～85.
馬小紅, 「“一家之法”“天下之法”—中國古代的兩次法治思潮」, 『師大法學』 2018(2), pp.51～68.
寧志新, 「『唐六典』僅僅是一般的官修典籍嗎?」, 『中國社會科學』 1994(2), pp.193～196.
曲彦斌, 「中國婚禮儀式史略」, 『民俗硏究』 2000(2), pp.75～88.
孫倩, 「論中國古代的罪疑惟輕」, 『法制與社會發展』 2017, 23(2), pp.26～41.
王春林, 「論中國古代法律中的矜老恤幼原則」, 『廣西青年干部學院學報』 2006(4), pp.68～69·72.
王捷, 「“直訴”原流通說辨正」, 『法學硏究』 2015(6), pp.174～190.
王俊文, 「古代關聯」, 『河北企業』 2004(4), p.33.
王沛, 「刑鼎, 宗族法令與成文法公布—以兩周銘文爲基礎的硏究」, 『中國社會科學』 2019(3), pp.85～105.
夏勇, 「民本與民權—中國權利話語的歷史基礎」, 『中國社會科學』 2004(5), pp.4～23·205.
徐進, 「孔子“無訟”辨正」, 『齊魯學刊』 1984(4), pp.40～42·52.
徐忠明, 「凡俗與神聖: 解讀“明鏡高懸”的司法意義」, 『中國法學』 2010(2), pp.128～142.
楊文闖, 「官與官聯」, 『黨風與廉政』 1995(9), p.1.
楊小軍, 「信訪法治化改革與完善硏究」, 『中國法學』 2013(5), pp.22～33.
曾振宇, 「商鞅法哲學硏究」, 『史學月刊』 2000(6), pp.26～33.
詹奇瑋, 「愼刑思想的歷史審視與當代提倡—兼論與域外謙抑理念的比較」, 『社會科學』 2022(6), pp.178～191.
張晉藩, 「論中國古代的司法鏡鑒」, 『政法論壇』 2019(3), pp.3～13.
張軍勝, 「登聞鼓原流略探」, 『青海民族學院學報』(社會科學版) 2009(3), pp.78～80.

張雷,「試論我國古代恤刑制度及其歷史評價」, 天津師範大學碩士論文, 2013.
趙曉耕·沈瑋瑋,「專業之作: 中國三十年(1979-2009)立法檢視」,『遼寧大學學報』(哲學社會科學版), 2010, 38(5), pp.1~10.
朱騰,「從君主命令到令, 律之別—先秦法律形式變遷史鋼」,『清華法學』2020, 14(02), pp.157~186.

馬小紅,「中國古代法巡禮」,『法制日報』2017-08-16(10).
李文靜,「宋代司法審判中的鞫讞分司」,『學習時報』2014-1-20(A9).
王杰,「經國序民 正其制度」,『光明日報』2020-01-08(2).